AF607556

Estudios sobre los delirios

Fundación Archivos de Neurobiología

SERIE:
HISTORIA Y TEORÍA DE LA PSIQUIATRÍA

HENRI EY

Estudios sobre los delirios

Presentación de
Jean Garrabé y Humberto Casarotti

EDITORIAL TRIACASTELA
Madrid, 1998

1.ª edición en *EDITORIAL TRIACASTELA*, 1998.

EDITORIAL TRIACASTELA
Antonio Palomino 8, 28015 Madrid.
Tlf. y Fax: 91-5441266.

Diseño gráfico y maquetación: Juan Burriel.
Revisión técnica del texto: Juan José Martínez Jambrina

ISBN: 84-921418-5-9
Depósito legal: M-31.888-1998

Impreso en España.
Artes Gráficas Palermo, S.L.
Camino de Hormigueras, 175, nave 11
28031 Madrid

SUMARIO

Presentación

Evocación de Henri Ey
Jean Garrabé 11

La aportación de Ey al diagnóstico de la psicosis delirante
Humberto Casarotti 33

Prólogo a la primera edición (1950)
Juan José López Ibor 67

Estudios sobre los delirios
Henri Ey

Advertencia 71

1. Clasificación y patogenia de los delirios crónicos 73
   1.1. Evolución de las ideas sobre la nosografía de los delirios crónicos 74
   1.2. Evolución de las ideas sobre la patogenia de los delirios 79
      1.2.1. Teorías mecanicistas de los delirios 80
      1.2.2. Concepciones psicogenetistas 81
      1.2.3. Concepciones organodinamistas 82
   1.3. Posición del problema del delirio crónico 83

2. Las psicosis delirantes agudas 87
2.1. Estructuras diversas de las vivencias subagudas 88
2.1.1. Estructura común de los estados delirantes agudos: las vivencias delirantes primarias 88
2.1.2. Estados oníricos 90
2.1.3. Los estados oniroides 93
2.1.4. Los estados de tipo maníaco depresivo 98
2.2. Las organizaciones delirantes transitorias 98

3. Las psicosis paranoicas (los delirios crónicos sistematizados) 103
3.1. Análisis estructural de las psicosis paranoicas 105
3.1.1. Organización estructural negativa 106
3.1.2. Organización estructural positiva 109

4. Las psicosis parafrénicas 121
4.1. Evolución histórica de las ideas sobre las parafrenias 122
4.2. Análisis estructural del delirio parafrénico 126
4.2.1. Trastornos negativos. El pensamiento parafrénico 127
4.2.2. Trastornos positivos. El delirio parafrénico 131

5. El surrealismo y los delirios 135
5.1. La producción estética psicopatológica 137
5.2. Valor psicopatológico de estas producciones. Las relaciones de la producción y de la personalidad del enfermo 139
5.3. La esencia común al arte y a la locura 142
5.4. Diferencias entre la estética surrealista y la producción estética psicopatológica 147

Apéndice

Los delirios (1959)
Henri Ey 159

Indice alfabético 193

PRESENTACIÓN

EVOCACIÓN DE HENRI EY

Jean GARRABÉ
Presidente de la Fundación Henri Ey

La reedición por la Fundación Archivos de Neurobiología, veinte años después de la muerte de Henri Ey (1900-1977), de los *Estudios sobre los delirios,* publicados originalmente en Madrid[1], vuelve a hacer accesible un texto que presenta un doble interés para todo aquél que desee iniciarse o profundizar en el conocimiento de la obra del gran médico y filósofo franco-catalán, cuyo pensamiento ha marcado, después de la Segunda Guerra Mundial, a varias generaciones de psiquiatras del mundo entero.

El primer motivo de interés ante los *Estudios sobre los delirios* es que se trata de una de las pocas obras de la abundantísima bibliografía de Ey[2] publicada en castellano en su versión original. En la edición de 1950 no consta el nombre de ningún traductor, aunque cabe pensar que el propio Profesor Juan José López Ibor, autor del prólogo, revisase para su publicación el texto español de las cinco conferencias dictadas por su amigo en 1949, a invitación del Consejo Superior de Investigaciones

[1] Ey, H.: *Estudios sobre los delirios*, Madrid, Paz Montalvo, 1950.

[2] La bibliografía de Ey, que incluye centenares de títulos, acaba de ser revisada por Jacques Grignon en su tesis doctoral *Expérience mystique et hallucination. La différence entre l'expérience mystique et l'hallucination à la lumière des oeuvres de Saint Jean de la Croix et d'Henri Ey*, presentada en Lovaina en 1994.

Científicas, en el Servicio de Don Gregorio Marañón en el Hospital General de Madrid. El volumen resultante se halla dividido en cinco capítulos:

1.º) Clasificación y patogenia de los delirios crónicos.
2.º) Las psicosis delirantes agudas.
3.º) Las psicosis paranoicas (los delirios crónicos sistematizados).
4.º) Las psicosis parafrénicas.
5.º) El surrealismo y los delirios.

Analizaremos más adelante los motivos por los cuales Ey escogió estos temas para sus charlas, pero conviene señalar, de entrada, la sorprendente ausencia de las psicosis esquizofrénicas y la inclusión, en cambio, de un estudio sobre el surrealismo. El propio Ey nos advierte acerca del carácter inconcluso o, por decirlo de otro modo, embrionario de estos *Estudios*. En este libro, se perfila, *in statu nascendi,* una concepción de los delirios que el autor iría desarrollando con mayor profundidad en los años subsiguientes. En efecto, en 1959, Ey volvió a tratar el tema de los delirios en una conferencia dictada en el transcurso de una gira a través de América Latina[3], en la que exponía ideas muy similares a las que, entre 1950 y 1959, había desarrollado en sus conferencias en la biblioteca del hospital psiquiátrico Sainte-Anne de París (hoy en día, Biblioteca Henri Ey) y a las que me referiré posteriormente[4].

[3] Ey, H.: «Los delirios», *Revista de Psiquiatría del Uruguay*, 1959; (140), pp. 3-42.

[4] En este punto, me gustaría hacer una pequeña digresión sobre la historia del arte moderno, una digresión que terminará por remitirnos, de nuevo, a la historia de la psiquiatría. La actual biblioteca Henri Ey se halla situada en la ampliación de otra más antigua, en la que el maestro dictó originalmente sus conferencias. Para llevar a cabo dicha ampliación, se destruyó la antigua *salle de garde*, típica de los hospitales parisinos, en la que los internos solían invitar a comer no sólo a los médicos, sino también a otros invitados, llamados «parásitos». Esta sala fue decorada al fresco en 1945 por una serie de artistas surrealistas, relativamente conocidos, algunos de los cuales habían pasado

En 1949, al mismo tiempo que pronunciaba sus conferencias en Madrid, Ey estaba ultimando los preparativos de un Congreso Internacional de Psiquiatría que había de celebrarse al año siguiente en París. Durante el propio transcurso del acto, sus participantes decidieron transformarlo en el Primer Congreso Mundial de Psiquiatría[5]. Ahí reside, precisamente, el segundo punto de interés que presentan los *Estudios sobre los delirios:* esta obra refleja muy claramente el grado de elaboración teórica del problema de los delirios (un problema que constituye, en particular para la escuela francesa, el núcleo central de la psicopatología) al que había llegado Ey en ese momento de su vida. Para hacer una presentación adecuada de los *Estudios,* resulta necesario, por lo tanto, analizar no sólo cómo se encuadran dentro del desarrollo general de su obra, sino también qué lugar ocupa ésta dentro de la evolución de la psicopatología a lo largo del siglo XX.

Tal como señaló Juan José López Ibor, Henri Ey fue, en su

---

incluso por un período de internamiento en el propio manicomio (v. Morel, F.: «Le surréalisme en salle de garde», *Tribune Médicale*, junio de 1988; (263), pp. 16-24). Los autores del catálogo *Oscar Domínguez (1926-1957). Antológica.* (Madrid, Museo Nacional Centro de Arte Reina Sofía, 1996, p. 240), correspondiente a la gran exposición celebrada en el mismo momento en que, por uno de esos azares que tanto apreciaban los surrealistas, tenía lugar en Madrid el X.º Congreso Mundial de Psiquiatría, traducen erróneamente *salle de garde* por «sala de espera» al analizar la participación del pintor canario en la elaboración de este fresco colectivo.

[5] Una de las sesiones del Primer Congreso Mundial de Psiquiatría exploró el tema de la psicopatología de los delirios. Los cuatros ponentes eran Paul Guiraud (1882-1974) de París, William Mayer-Gross (1889-1961) de Dumfries, (que había huido a Escocia a causa de la persecución a la que le habían sometido los nazis por su condición de judío), Giovanni E. Morselli de Novara y H. C. Rümke de Utrecht. (*Congrès International de Psychiatrie.* París, Hermann et Cie., 1950, T. I.). Para rendir homenaje a Henri Ey organizamos en 1992, en el X.º Congreso Mundial de Psiquiatría de Madrid, un simposio sobre el mismo tema de los delirios. Algunas de las intervenciones en este simposio se publicaron, en 1998, en la revista *Archivos de Neurobiología.*

momento, una de las mentes más destacadas en el esfuerzo de «enlazar la vieja tradición clínica francesa con los resultados que, a su vez, han aportado la psicopatología y clínica alemana»[6], como lo demuestra el hecho de que consiguiese organizar con éxito (y en tan poco tiempo) el encuentro que marcó el inicio de la mundialización de la psiquiatría (sobre todo si tenemos en cuenta que la Segunda Guerra Mundial había interrumpido el flujo de intercambios científicos no sólo dentro de Europa, sino también entre esta última y América). Por eso nos sorprende, aunque no carezca de cierta gracia, la anécdota que narra en sus memorias Castilla del Pino. Habiendo llegado tarde a una de las conferencias de Henri Ey (probablemente se trataba de la primera que éste dictó en su servicio hospitalario), Marañón le preguntó en un susurro a Castilla: «¿Quién es este señor?». «Henri Ey», le respondió Castilla, también en voz baja. Al finalizar la conferencia, Marañón subió al estrado y, tras disculparse por su impuntualidad, se lanzó a hacer un panegírico de la obra de Ey, sin haber oído en su vida hablar de ella[7]. Si el memoriógrafo es veraz, resulta difícil de entender que Don Gregorio ignorase los motivos por los que Henri Ey había sido invitado por el Consejo Superior de Investigaciones Científicas y que, durante sus años de exilio en París de 1936 a 1943 o en sus ulteriores viajes a Francia, no hubiese tenido noticia de la existencia del psiquiatra franco-catalán.

A fin de que no se nos reproche el aconsejar la lectura de los *Estudios sobre los delirios* sin proporcionar al lector algunos datos básicos sobre Henri Ey, hagamos un breve recorrido a través de la vida y de la obra científica del autor. Ey nació el 10 de agosto de 1900 en un pueblo del Rosellón, Banyuls-dels-Aspres, cerca de Perpiñán. Procedía de una familia de viñadores (algu-

[6] López Ibor, J. J.: Prólogo a *Estudios sobre los delirios*, *infra*, p. 67.

[7] Castilla del Pino, C.: *Pretérito imperfecto*, Barcelona, Tusquets, 1997, pp. 495-496.

nas de las viñas familiares siguen siendo cultivadas por su sobrino), aunque uno de sus abuelos era médico. Sus raíces catalanas son importantes para entender su vida espiritual. El joven Ey cursó el bachillerato en un colegio de Dominicos, cerca de Albi, la patria de Toulouse-Lautrec. Su orientación filosófica se vio marcada por el tomismo del Doctor Angelicus, una suerte de síntesis entre el cristianismo y el aristotelismo. Inició sus estudios de medicina en Toulouse, pero los acabó en París después de aprobar las oposiciones a interno de los hospitales psiquiátricos o, mejor dicho, de asilos de alienados, como se denominaban aún en 1925[8]. Entre los jefes de servicio que hicieron especial mella en Ey, habría que mencionar a Paul Guiraud (1882-1974).

Ey no fue alumno directo de Gatian de Clérambault (1872-1934), a diferencia de Jacques Lacan el cual fue el penúltimo interno del *Maître de la Tour Pointue* en *l'Infirmerie Spéciale de la Préfecture de Police*[9]. Hubo entre Clérambault y Lacan una ruptura violenta al publicar el discípulo, sin avisar antes a su maestro, un artículo sobre la estructura de las psicosis paranoicas en la *Semaine des Hôpitaux* del 7 de julio de 1931, artículo en el que aludía a las ideas de Clérambault sobre las psicosis llamadas por él pasionales, en el cuadro general de la paranoia[10]. No creo, en efecto, que ésta haya sido exactamente la opinión de

[8] Su amigo y rival Jacques Lacan aprobó estas mismas oposiciones en 1927. También podemos destacar, entre los que las aprobaron *à titre étranger*, a Henri Ellenberger (1905-1993) en 1932 y a Julián de Ajuriaguerra (1911-1993) en 1933.

[9] Se llamaba así a esta institución en el argot parisino de la época por estar instalada en la histórica «torre puntiaguda» de la conserjería del Palacio de la Isla de la Cité en donde encarcelaron los revolucionarios a María Antonieta antes de su proceso y posterior ejecución en 1793.

[10] Cuando Lacan presentó su tesis doctoral *De la psychose paranoique dans ses rapports avec la personnalité* (1935. Reedición, París, Le Seuil) (muy marcada por la concepción que Emil Kraepelin ha desarrollado en la edición de 1915 de su famoso *Lehrbuch*) comparó las ideas de éste con las del maestro, con el que había reñido, sin citar su nombre.

Clérambault, pero será unos decenios más tarde la que adoptará Henri Ey en su *Manuel de psychiatrie*, traducido en español bajo el título de *Tratado de psiquiatría*[11]. Naturalmente, Ey pudo asistir a las concurridas presentaciones de enfermos que hacía Clérambault en la enfermería especial hasta que en 1929 empezó a perder la vista, acabando por suicidarse en 1934 después del fracaso de una operación de cataratas por Barraquer[12]. Recordamos estos hechos para dar unas pinceladas, al menos en lo que atañe a la psiquiatría, del ambiente intelectual en el que Henri Ey se formó e inició su carrera. Existían pues, en los decenios de 1920 y 1930, los llamados años locos (*les années folles* del surrealismo), dos escuelas rivales en París, al haber perdido

[11] Ey H.; Bernard P.; Brisset; Ch.: *Manuel de psychiatrie*, París, Masson, 1.ª ed, 1960.

[12] Por las fechas que hemos indicado, nos parece difícil que Clérambault haya podido establecer relaciones amistosas con Ajuriaguerra, como lo escriben Aguirre Oar y Guimón Ugartechea en su biografía del gran psiquiatra vasco (*Vida y obra de Julián de Ajuriaguerra*, Madrid, ELA, 1992) aunque sí pudo haber asistido a alguna de sus últimas presentaciones clínicas. El primer artículo internacional sobre «El síndrome de automatismo mental de De Clérambault y su importancia en la psiquiatría» (*Archivos de Neurobiología*, 1936; 16 (3-6), pp. 533-566. Reedición facsímil: *Archivos de Neurobiología en la Guerra Civil*, Suplemento 1, Madrid, Fundación Archivos de Neurobiología, 1997) lo firman, Georges Heuyer (1884-1977; sucesor de Clérambault como médico-jefe de *l'Infirmerie*, y que va a presidir al año siguiente, en 1937, el primer congreso internacional de neuropsiquiatría infantil de París y, posteriormente, será el titular de la primera cátedra de esta especialidad cuando en 1948 la funda la Facultad de Medicina de esta capital), Ajuriaguerra (que es entonces *interne des asiles de la Seine)* y, por último, J. M. Pigem (pensionado por el *Agrupament Escolar de l'Acadèmia i Laboratori de Ciències Mèdiques de Catalunya)*. Este trabajo no figura en el índice de artículos que incluye la citada biografía de Ajuriaguerra, sin duda porque el número de *Archivos* en que se publicó, editado en plena guerra civil, debió de tener poquísima resonancia internacional incluso en Francia. Personalmente lo descubrí cuando se publicó el facsímil y no pude hacer mención de él en el prefacio de la nueva edición de *L'automatisme mental* de Clérambault que publiqué en 1992 (Le Plessis-Robinson, Les empêcheurs de penser en rond).

influencia entonces la que había sido antaño gloriosa, la de la Salpêtrière. Una era la de *l'Infirmerie* capitaneada por Clérambault, a pesar de no tener este ningún cargo académico oficial y de deber su liderazgo exclusivamente a su propio prestigio intelectual, que haría de él un verdadero *maitre à penser;* la otra era la del hospital Sainte-Anne o, mejor dicho, la de la *Clinique des Maladies Mentales et de l'Encéphale,* ubicada en este centro desde su fundación en 1875. El titular de esta cátedra era desde 1922 Henri Claude (1869-1945) mucho menos fascinante que su brillante y oficioso rival, pero que, sin embargo, tuvo la inteligencia de aceptar, ya en 1923, que René Laforgue (1894-1962) abriese una consulta de psicoanálisis en su servicio[13]. Ey fue *chef de clinique* del profesor Claude desde 1931 a 1933 (cargo que, en los servicios de cátedra franceses, consiste en ocuparse de la formación clínica de los estudiantes de medicina y supervisar su formación teórica). Es de notar que no volvió a ocupar después de estas fechas ningún cargo docente oficial, punto en el que ofrece cierto parecido con Clérambault, formando a sus discípulos por otros canales de los que vamos a hablar.

Al mismo tiempo que profundizaba en el estudio de la psiquiatría, Ey estudiaba filosofía en la Sorbona. Y además (y puede ser que fuese lo más importante para el desarrollo de su propio pensamiento) asistía a los cursos que daban algunos de los profesores del *Collège de France.* Hay que recordar que en esta institución fundada en 1529 por Francisco I (1494-1547) para combatir el dogmatismo de la Sorbona medieval, los profesores, nombrados a título personal, tienen una libertad absoluta para escoger a su albedrío el tema de sus cursos, a los que puede asistir toda persona que lo desee. Uno de estos profesores

[13] Laforgue había nacido en Alsacia, provincia alemana hasta la Primera Guerra Mundial. Después de iniciar sus estudios de medicina en Berlín, presentó su tesis doctoral en 1922 ante la Facultad de Estrasburgo, que había vuelto a ser francesa, sobre la afectividad en los esquizofrénicos desde un punto de vista psicoanalítico.

era Pierre Janet (1859-1947), que había publicado en 1926 uno de los libros más importantes de su innumerable bibliografía: *De la angustia al éxtasis* [14]. Se trata de las concepciones teóricas que iba a desarrollar en sus lecciones de esos años en el *Collège de France,* concepciones cuyos temas había esbozado en las conferencias dictadas en su triunfal gira por México en 1925[15].

Pero puede ser que el profesor más prestigioso del *Collège de France* fuese el filósofo Henri Bergson (1859-1941), a quien la Academia sueca acababa de otorgar en 1927 el Premio Nobel de Literatura. Es sabido que Bergson manifestaba un gran interés por lo que hoy llamamos «neurociencias»[16]. Basta recordar que una de sus obras más famosas se titula *Matière et mémoire*[17]. Esta reflexión filosófica sobre lo que se entendía entonces con más exactitud como neurobiología (tal y como lo entendieron Ortega y Gasset, Lafora y Sacristán cuando, en 1919, escogieron el nombre para la revista que fundaban) fue un elemento crucial de la formación médico-filosófica de Henri Ey. Bergson se interesaba mucho por el naciente psicoanálisis, era un gran lector de Freud (y éste a su vez lo era de Bergson). Se ha hablado de un triángulo Janet-Bergson-Freud en el que el filósofo seguía enlazando los pensamientos de los dos médicos, discípulos de Charcot, después de su sangrienta riña desencadenada por su discípulo común Carl Gustav Jung (1875-1961)[18].

[14] Janet P.: *De l'angoisse à l'extase,* París, F. Alcan, 1923.

[15] Enrique O. Aragón publicó en castellano al año siguiente el texto con el título de *Psicología de los sentimientos.* El profesor Hector Pérez Rincón hizo una reedición hace unos años de estas conferencias de uno de los maestros de Ey que sólo podemos leer en español.

[16] *Bergson et les neurosciences.* [Actas del coloquio internacional de medicina y filosofía de Lille]. Le Plessis-Robinson, Les empêcheurs de penser en rond, 1997.

[17] Bergson, H.: *Matière et mémoire.* (1896). En: *Oeuvres*, París, P.U.F., 1970, pp. 161-378.

[18] Como dato anecdótico podemos recordar que, en la conferencia que dio en Madrid en 1916, Bergson discutió el famoso caso de «desdoblamiento de la

En 1925, un grupo de psiquiatras publicó en París el primer tomo de un libro colectivo con el título de *L'Évolution Psychiatrique* (el segundo tomo se publicó en 1927). La referencia al libro de Bergson *L'Évolution créatrice* (1907), en donde el filósofo introduce el concepto de *l'élan vital*, es evidente, a pesar de que ya la mayoría de los autores de este volumen se adscribiesen, ante todo, al psicoanálisis. El mismo grupo empezó a editar una revista trimestral que conservaba el mismo título, y luego se transformó en sociedad científica. El hecho de que varios de sus miembros figurasen entre los que, aproximadamente al mismo tiempo, fundaron la *Societé Psychanalitique de París* y la *Revue Française de Psychanalyse,* cumpliendo los requisitos para ser reconocidos oficialmente por la Asociación Psicoanalítica Internacional, ha hecho que varios historiadores hayan presentado la fundación de la sociedad científica como un intento de promover un psicoanálisis a la francesa más arraigado en la psiquiatría que el vienés y menos marcado por el judaísmo que el primer círculo de los discípulos de Freud. Pero si leemos los primeros textos publicados por *L'Èvolution Psychiatrique* vemos que lo que pretendían sus autores era integrar todas las corrientes novedosas de la época; el psicoanálisis primero, naturalmente, pero también la neurobiología y la filosofía, precursora de la fenomenología, de Bergson, para, de esta manera, contribuir a una necesaria evolución de la psiquiatría todavía estancada en posiciones teóricas decimonónicas. Una de las personalidades más relevantes del grupo fue Eugène Minkowski (1885-1972), quien ocupó el cargo de secretario

---

personalidad» del pastor Anselme Bourne (relatado por William James en sus *Principles of Psychology)* utilizando elementos sacados de la *Traumdeutung* freudiana. Naturalmente, los representantes contemporáneos de la escuela pragmática no pensaban en estas antiguallas cuando hace veinte años investigaban la novedad del *Multiple Personality Disorder* olvidando que este problema psicopatológico lo habían estudiado los filósofos de principios del siglo XX, entre ellos el propio fundador del pragmatismo.

general de la sociedad hasta la Segunda Guerra Mundial en que *L'Évolution Psychiatrique* suspendió sus actividades. Minkowski, nacido en San Petersburgo de una familia judía lituana, tuvo que hacer sus estudios de medicina, por razones políticas, en Varsovia, Munich y Kazan, acabando como ayudante de Eugene Bleuler en Zurich. Se alistó voluntariamente como médico en el ejército francés durante la Primera Guerra Mundial, adquiriendo así la nacionalidad francesa y publicando, por lo tanto, la mayor parte de su obra en París. Su primer libro importante es *La schizophrénie*[19], versión ampliada de la tercera tesis doctoral que tuvo que presentar en su vida y en donde desarrolla la idea de que el autismo de su maestro Bleuler corresponde a la pérdida de *l'élan vital* de Bergson. Se le considera, con su amigo Ludwig Binswanger (1881-1966) como uno de los fundadores de la psiquiatría fenomenológica con su segundo libro *Le temps vécu. Études phénomenologiques et psychopathologiques* [20].

Este es el telón de fondo del escenario de la psiquiatría francesa en París, en la que la actuación de Ey va a ir cobrando cada vez más importancia, a pesar de que se aleja de la capital. Había ganado otras oposiciones, las de jefe de servicio, y en 1933 ocupa el puesto correspondiente en el servicio de mujeres del asilo de Bonneval, instalado en la vieja abadía de Saint Florentin, cerca de Chartres y de su famosísima catedral, cuyas vidrieras aconsejaba el maestro que se fuesen a admirar ante todo cuando se le visitaba. Toda su carrera profesional, hasta su jubilación en 1970, se desarrolló allí, en el que ahora se llama, con razón, Hospital Henri Ey, y en casi cuarenta años no quiso ni ocupar otro puesto de jefe de servicio en otro hospital (el de Sainte-Anne, por ejemplo) ni aceptar las cátedras que le ofrecieron en varios países de lengua francesa. Después de su jubi-

[19] Minkowski, E.: *La schizophrénie*, París, Payot, 1927.
[20] Minkowski, E.: *Le temps vécu*, París, D'Artrey, 1933.

lación, se retiró a la casa familiar de Banyuls-dels-Aspres y siguió todavía animando un seminario en el cercano hospital psiquiátrico de Thuir y redactando sus últimos libros, especialmente el gigantesco *Traité des hallucinations* (1973)[21].

El primer libro publicado por Ey, en 1934, fue *Hallucinations et délire. Les formes hallucinatoires de l'automatisme verbal*[22]. Como se puede ver por estos dos títulos, a cuarenta años de distancia, es constante el interés de Ey por el problema de las relaciones entre las alucinaciones y el delirio (o los delirios, tal y como reza el título de las conferencias de 1949 en Madrid). En 1934 ya no habla de automatismo mental, como lo hacía Clérambault. La introducción la firma Jules Séglas (1856-1939), médico entonces jubilado de La Salpetrière[23].

La obra siguiente la publica Ey en 1938, en colaboración con Julien Rouart (quien más tarde se orientó exclusivamente hacia el psicoanálisis) y esta vez con una introducción del profesor Henri Claude. Se trata de un *Essai d'application des principes de Jackson à une conception dynamique de la psychiatrie*[24]. En 1975, al final de su vida, Henri Ey volverá a publicar este texto como segunda parte de un libro que intitulará entonces *Des idées*

[21] Ey, H.: *Traité des hallucinations,* París, Masson, 1973.

[22] Ey, H.: *Hallucinations et délire,* París, Félix Alcan, 1934.

[23] Séglas es, sobre todo, el autor de *Les troubles du langage chez les aliénés* (París, Bibliothéque Médicale Charcot, Rueff et Cie, 1892) en donde por primera vez se estudia la locura desde un punto de vista lingüístico, y en 1914 del artículo «Hallucinations psychiques et pseudo-hallucinations verbales» (*Journal de Psychologie*, Juil-Août, 1914). La escuela rusa equipara estas seudoalucinaciones, descritas en 1890 por Víctor Kandinski (1849-1899, primo del pintor abstracto espiritualista Vladimir Kandinski), con el automatismo mental de Clérambault, por lo que tratando de este campo de la fenomenología psicopatológica habla del síndrome de Kandinski-Clérambault, como lo recordé en mi edición de *L'automatisme mental* (cit. n. 12).

[24] Ey, H.; Rouart, J.: *Essai d'application des principes de Jackson à une conception dynamique de la psychiatrie*, Monographie de l'Encéphale, París, Doin, 1938.

de Jackson à un modéle organo-dynamique en psychiatrie[25]. La modificación del título de la que será su última obra dibuja el recorrido que desde el jacksonismo le ha llevado a proponer un modelo organodinámico, no ya para toda la neuropsiquiatría sino sólo para la psiquiatría, recorrido marcado a mitad de camino por los *Estudios sobre los delirios.* Los neuropsiquiatras de lengua francesa descubrieron las ideas de Hughlings Jackson (1835-1911) cuando los *Archives Suisses de Neurologie et de Psychiatrie* llamaron la atención sobre ellas al publicar la traducción por Pariss de las prestigiosas *Croonian Lectures* hechas ante el Royal College por el neurólogo inglés. No podemos, desgraciadamente, desarrollar aquí la concepción jacksoniana de la enfermedad y debemos limitarnos a recordar sólo lo necesario para presentar el modelo organodinámico de Ey. «Órgano» de refiere aquí al *organicism,* palabra que escribimos a la inglesa para remarcar que se trata del organicismo filosófico desarrollado por Herbert Spencer (1820-1905) en sus *Principios de psicología* (1855). Se considera este sistema como un evolucionismo predarwiniano, más cercano a Lamarck (1744-1829) que a Charles Darwin (1809-1882), cuyo famoso libro *The Origins of Species, by Means of Natural Selection or the Preservation of Favoured Races in the Struggle for Life* se publicó en 1859, o sea, cuatro años después del libro de Spencer. He recordado el título completo para que se vea que su filosofía de la lucha por la vida es muy distinta del evolucionismo u organicismo, tal y como lo concibe Spencer. Es sabido que Charles Darwin no habló nunca de evolucionismo. Tampoco empleó la palabra organicismo el caballero de Lamarck, que pensaba, sin embargo, ya a fines del siglo XVIII, que el carácter fundamental de la vida es la organización, que la materia viva está organizada (Erasmus Darwin, abuelo de Charles, hablaba también de *organic life*).

[25] Ey, H.: *Des idées de Jackson á un modéle organo-dynamique en psychiatrie.* Reedición en París, L'Harmattan, 1997.

Este organicismo filosófico es, por lo tanto, absolutamente distinto del organicismo médico o, mejor dicho, de la concepción organicista de la enfermedad que atribuye cada síntoma directamente, en línea directa (Ey decía *linéairment* y hablaba de una concepción mecanicista opuesta a la dinámica) a una lesión de un órgano, en el caso de las enfermedades mentales al cerebro. El triunfo de esta concepción a finales del siglo XX ha sido tal que se ha llegado a pensar que el modelo anatomoclínico de la enfermedad que inspira es el único válido para toda la medicina. Alguna corriente antipsiquiátrica ha desarrollado el sofisma de que puesto que este modelo anatomoclínico no se puede utilizar en las enfermedades mentales (lo cual es cierto) éstas no son realmente enfermedades sino mitos.

Volvamos pues al jacksonismo inspirado por el organicismo filosófico. Para Ey, son cuatro los principios fundamentales de Jackson, que podemos resumir así:

1. El primero es que las funciones del sistema nervioso central, como todas las del organismo, están organizadas jerárquicamente, siendo la más elaborada y elevada de ellas la conciencia.

2. Esta jerarquía es el resultado de la evolución de las especies. La ley de Haeckel (1834-1919), ley biogenética fundamental, al postular que la ontogenia repite la filogenia, sostiene que las funciones aparecen en el desarrollo del individuo siguiendo el mismo orden que en la evolución de la especie.

3. A toda enfermedad corresponde una doble sintomatología: una negativa, que resulta de la disolución de alguna de las funciones de esta jerarquía, y otra positiva, que corresponde a la liberación de la función inmediatamente inferior en la jerarquía y normalmente inhibida por la superior. En la concepción jacksoniana no puede haber síntomas negativos sin positivos y viceversa.

4. Por último, es esencial el hecho de que en la manifestación de la doble sintomatología negativa-positiva el factor tiempo, la velocidad con que se produce la disolución, es tanto o más

importante que lo que la genera. O, en otros términos, que a una disolución del mismo nivel pueden corresponder cuadros clínicos distintos, según la menor o mayor velocidad con la que se ha producido.

En su contribución a los *Mélanges offerts à Monsieur Janet*[26], con ocasión de su octogésimo aniversario (texto que pasó algo desapercibido por la fecha de su publicación, 1939), Ey compara las dos concepciones de la psiquiatría llamadas dinámicas en su época, o sea, la del propio Janet y la de Freud, y llega a la sorprendente conclusión de que adoptando el punto de vista de Jackson no están muy alejadas una de otra.

Las ideas de Jackson eran harto conocidas por Freud desde su etapa como neurólogo. Su monografía *La concepción de las afasias* (1891)[27], redactada en los años en que su colega dictaba las Croonian Lectures, no es sino la aplicación de la neurología dinámica del inglés a un problema que desde Broca (1824-1880) y Wernicke (1848-1905) sólo se había estudiado según la concepción mecanicista (que Freud critica) de las localizaciones cerebrales. Notemos que en este libro, en el que Jackson es el autor más citado, aparece la distinción entre representación de cosa y representación de palabra, que tanta importancia tuvo en el desarrollo ulterior de la teoría psicoanalítica. Sin embargo, al decidir Freud no incluir este texto entre sus obras completas psiconanalíticas, se ha pensado que las ideas de Jackson no habían tenido influencia alguna en el desarrollo del psicoanálisis, opinión que no comparten varios autores eminentes como Ludwig Binswanger en su estudio de 1936 sobre «Freud y la constitución de la psiquiatría clínica»[28].

[26] Ey, H.: «La psychopatologie de Pierre Janet et la conception dynamique de la psychiatrie». En: *Mélanges offerts à Monsieur Janet*, París, D'Artrey, 1939, pp. 87-99.

[27] Traducida al español con el título *La afasia*, Buenos Aires, Nueva Visión, 1973.

[28] Binswanger, L.: «Freud y la constitución de la psiquiatría clínica», en

Poco tiempo después, Henri Ey anuncia el proyecto de equiparar en el grupo de las psicosis esquizofrénicas los síntomas llamados primarios por Eugen Bleuler (en su famoso texto de 1911) con los negativos de Jackson y los secundarios con los positivos. Esta idea es aún más extraña que la de comparar las concepciones de Freud y Janet con la óptica de la dinámica jacksoniana, ya que Bleuler, que ni siquiera cita a Jackson en el abundantísimo índice de autores de su libro, no parece que se haya interesado en la teoría del neurólogo inglés[29]. Se la sugirió, sin duda, a Ey, una frase de un artículo publicado por Mayer-Gross en 1930 (o sea, antes de su huida de la Alemania nazi) en la que éste apunta la comparación pero sin desarrollarla. Germán Berrios ha publicado, en estos últimos años, varios estudios sobre la controvertida cuestión de saber qué se entiende por síntomas positivos y negativos en las psicosis esquizofrénicas, comparando las concepciones de la escuela psiquiátrica francesa (especialmente la de Henri Ey) y la de lengua inglesa contemporánea; Berrios llega a la conclusión paradójica de que la primera es más fiel a Jackson que la segunda que, de hecho, se refiere a John Russell Reynolds (1826-1896)[30].

Pero la tarea a la que se enfrenta Henri Ey va a ser larga y ardua. Si los primeros pasos en el camino de un modelo organodinámico de la enfermedad mental son relativamente fáciles, poco a poco, a medida que avanza, se van complicando las

---

Artículos y conferencias escogidas, Madrid, Gredos, 1973, pp. 260-280. Véase también, sobre este punto, el excelente prefacio del gran epistemólogo Roland Kuhn a la traducción francesa de *Zur Auffassung der Aphasien:* Freud S.: *Contribution à la conception des aphasies*, París, PUF, 1983.

[29] Jackson, por cierto, murió ese mismo año, 1911, en que la revolución bleuleriana sustituye por el grupo de las psicosis esquizofrénicas la antigua *dementia praecox* de Kraepelin.

[30] Berrios, G. E.: «Positive and negative symptoms and Jackson. A conceptual history», *Archives of General Psychiatry,* 1985; 42, pp. 95-97.

cosas, como precisamente podemos comprobarlo leyendo los *Estudios sobre los delirios* que aquí se presentan.

Hay, para Ey, una diferencia fundamental entre enfermedades mentales agudas y crónicas. La diferencia no consiste sólo en la duración cronológica del trastorno (como en las clasificaciones actualmente en uso) sino, fenomenológicamente, en las modalidades temporales distintas en que se produce la disolución de la conciencia. Y dentro de cada una de estas dos categorías (enfermedades agudas y crónicas) hay que distinguir las estructuras psicopatológicas correspondientes a otros tantos niveles de desestructuración de la conciencia.

Dedica así Ey el tercer tomo de sus famosos *Études*, publicado en 1954, a la estructura de las psicosis agudas y a la desestructuración de la conciencia, estudiando entre otros cuadros clínicos la clásica *bouffée delirante* (*Étude* n.º 23), entidad que se ha terminado por admitir en las clasificaciones internacionales como *Brief Psychiatric Disorder,* teniendo sólo en cuenta, como he dicho, el criterio de la duración. Este tomo concluye con un estudio sobre la conciencia[31]. Se anuncia un tomo cuarto que tratará de las enfermedades mentales crónicas, pero este tomo no se publicó nunca, por razones que vamos a ver, aunque cabe pensar que los *Estudios sobre los delirios* son precisamente uno de los elementos que deberían haberlo compuesto. El método de trabajo de Ey consistía, en efecto, en tratar primero de un tema en unas conferencias: las del hospital Saint-Anne para los jóvenes residentes que acudíamos con entusiasmo, u otras como las de servicio madrileño de Marañón, o en los coloquios que organizaba en Bonneval o bien dentro de la actividad científica de la *Socièté de l'Évolution Psychiatrique,* de la que era secretario general desde el fin de la Segunda Guerra Mundial. Se va a apoyar en esta sociedad (y en las otras sociedades de psiquiatría

[31] Ey, H.: *Études psychiatriques. T. III. Structure des psychoses aiguës et déstructuration de la conscience,* París, Desclée de Brouwer, 1954.

entonces existentes en Francia, incluyendo la *Socièté Psychanalytique de Paris*) para organizar el Congreso Internacional que se celebró en esta capital el mismo año en que se publicaron los *Estudios sobre los delirios*. Todavía no existía entonces la Asociación Mundial de Psiquiatría que fundaron, ante el éxito de este congreso, las sociedades que habían participado en él, designando a Henri Ey como primer secretario general de la Asociación Mundial, cargo que ocupó durante dieciséis años, hasta el IV.º Congreso en Madrid en 1967. El presidente del Congreso de París y de la Asociación Mundial fue el Profesor Jean Delay (1907-1987), confirmado como titular de la cátedra de Sainte-Anne cuando se supo después de la guerra que el profesor Lévy-Valensi (1879-1943), (al que había nombrado el consejo de facultad en 1942) había sido asesinado a su llegada al campo de concentración de Auschwitz, a donde le deportaron los nazis en noviembre de 1943.

Jean Delay es uno de los descubridores, con su alumno Pierre Deniker, del efecto (ahora llamado antipsicótico) de los fármacos que denominaron neurolépticos. Este descubrimiento, simbolizado por el coloquio celebrado en el hospital Sainte-Anne sobre la clorpromazina (45.60 R.P) en 1955, iba a cambiar por completo el contenido de las discusiones científicas alrededor de los delirios tanto agudos como crónicos, y especialmente de las psicosis esquizofrénicas, como lo comentó Henri Ey dando cuenta del segundo congreso mundial que se celebró en 1957 en Zurich y que, por celebrarse allí, tenía por tema único este grupo de psicosis[32].

Pero, entre el descubrimiento y este congreso, Ey había dado a conocer su concepción del conjunto de los delirios crónicos, lo que debería haber constituido el tomo cuarto de sus *Études*. En los *Estudios sobre los delirios*, tras exponer la «Clasificación y

[32] Ey, H.: «L'état actuel de nos connaissances sur le groupe des schizophrénies», *L'Évolution Psychiatrique*, 1958; 23 (3), pp. 685-693.

patogenia de los delirios crónicos», empieza estudiando las psicosis delirantes agudas. Se entiende porqué: quiere primero presentar el mecanismo jacksoniano de la doble sintomatología producida por la disolución de la conciencia en éstas, para después estudiarlo en las psicosis crónicas. En las conferencias de Madrid, sin embargo, sólo trata de dos de las especies del género de los delirios crónicos, conforme a la taxonomía *more botanico* que utilizará más tarde. La primera es la de las psicosis paranoicas o, a la francesa, de los delirios crónicos sistematizados, analizando su organización estructural negativa y su correspondiente organización estructural positiva. La segunda es la de las psicosis parafrénicas, dando asimismo como ejemplo de trastorno negativo el pensamiento parafrénico, y de trastorno positivo el delirio parafrénico.

Ey presentará la concepción organodinámica de la tercera especie, la de las psicosis esquizofrénicas, unos años más tarde, otra vez en un texto en español, cuando el profesor Juan José López Ibor organiza en Madrid, para preparar el segundo congreso mundial (el de Zurich) un simposio sobre la esquizofrenia[33].

Ya antes de este simposio sobre la esquizofrenia, Ey había tenido la ocasión de desarrollar su concepción de un grupo de psicosis crónicas con dos variedades. Al dirigir la publicación del magno *Traité de psychiatrie* de *L'Encyclopédie médico-chirurgicale,* con casi 150 colaboradores, la mayoría de ellos miembros de *L'Évolution Psychiatrique,* Ey se reservó la redacción personal de varios capítulos, entre otros uno sobre «el grupo de las psicosis esquizofrénicas y de las psicosis delirantes crónicas (las organizaciones vesánicas de la personalidad)»[34].

[33] Ey, H.: «La esquizofrenia según la concepción organodinámica». En: López Ibor, J. J. (ed.): *Symposium sobre esquizofrenia,* Madrid, CSIC, 1957, pp. 225-241.

[34] Aclaremos para la pequeña historia un misterio: el de la ausencia de un capítulo sobre la paranoia en la edición de 1955 de *L'Encyclopédie médico-chirurgicale.* Ey había pedido a Jacques Lacan que lo redactase, pero éste no

Hemos recogido la integridad de este texto fundamental en la recopilación de textos del maestro sobre esquizofrenia que hemos publicado en 1996 con el título *Schizophrénie. Études cliniques et psychopathologiques*[35]. Vemos que mantiene en el género dos especies (*more botanico,* como él mismo dice): la de las psicosis esquizofrénicas, en las que predomina la negatividad, y la de las psicosis delirantes crónicas, en las que predomina la positividad del proceso.

El texto de Ey en la *Enciclopedia médico-quirúrgica* introduce en el estudio del grupo de las psicosis esquizofrénicas y de las psicosis delirantes crónicas la noción de desorganización de la personalidad, puesto que la «organización vesánica», tal y como reza el subtítulo dado al capítulo, no es sino la positividad de la negatividad desorganizadora.

En otros términos, el modelo organodinámico de los delirios crónicos no debe integrar un criterio estructural único, como puede hacerlo el modelo de las psicosis agudas, sino dos, añadiendo al criterio estructural de la disolución de la conciencia el de la desorganización de la personalidad. Ey resume esta concepción utilizando a su vez la terminología lingüística de Saussure, en una densa formulación: «el orden de las estructuras *sincrónicas* del Ser consciente (el campo de la conciencia como actualidad de la vivencia con su experiencia de la realidad) y el orden *diacrónico* del Ser consciente de sí mismo (la persona

---

remitió nunca el texto correspondiente a pesar de que precisamente entonces, apoyándose en las concepciones lingüísticas de Ferdinand de Saussure (1857-1913), estaba desarrollando en su seminario la teoría de la *forclusion* (*Verwerfung* en alemán o, en castellano, repudio) del «nombre del padre», significante atributivo de la procreación como mecanismo fundamental de esta psicosis (Lacan J. «D'une question preliminaire à tout traitement possible de la psychose», *La Psychanalyse*, Séminaire 1955-56, París, P.U.F., IV, pp. 1-50. Reed. en *Écrits*, París, Seuil, 1966, pp. 531-583).

[35] Ey, H.: *Schizophrénie. Études cliniques et psychopathologiques,* Le Plessis-Robinson, Les empêcheurs de penser en rond, 1996.

identificándose como autor de su propia persona) dan forma al «"cuerpo psíquico" u "organismo psíquico"», locuciones escogidas por Ey para expresar su idea de que la psique está organizada conforme a la lógica misma de la vida.

La noción de «cuerpo psíquico» constituye la última etapa a la que llegó el pensamiento de Ey en el estudio de los delirios, acercándose mucho, filosóficamente, a la concepción aristotélica de la psique como estructura del cuerpo, o al monismo tomista. Al hacer la historia conceptual de los síntomas positivos y negativos en la escuela francesa, German E. Berrios opina que la complejidad de las ideas de Ey le llevan a un *cul de sac* (en francés en el texto inglés) o callejón sin salida conceptual: «This probably blighted any chance his ideas might have had of competing with the far cleared (albeit over simplistic) Anglo-saxon views on the positive/negative symptoms»[36]. Sin embargo, en la reciente monografía *Delirio*[37], publicada con Filiberto Fuentenebro de Diego, expone estas ideas apoyándose en tres textos de Ey (entre ellos precisamente los *Estudios sobre los delirios*) pensando, sin duda, que los lectores hispanos pueden estar interesados por conceptos menos simplistas que los anglosajones. No ha renunciado el eminente epistemólogo de Cambridge a darlos a conocer a los psiquiatras de lengua inglesa, puesto que en *The History of Mental Symptoms*[38], Ey es uno de los autores más citados, con referencias a unos veinte textos suyos, entre ellos de nuevo los *Estudios sobre los delirios*, subrayando así el interés de este libro.

Ya en la primera edición de su *Manuel de psychiatrie*[39],

[36] Berrios, G. E.: «French views on positive and negative symptoms. A conceptual history», *Comprehensive Psychiatry*, 1991; 32 (5), pp. 395-403.

[37] Berrios, G. E.; Fuentenebro de Diego, F.: *Delirio. Historia, clínica, metateoría*, Madrid, Trotta, 1996.

[38] Berrios G. E. *The History of Mental Symptoms*, Cambridge, Cambridge University Press, 1996.

[39] Op. cit. en nota 11.

publicado con Paul Bernard y Charles Brisset en 1960 (o sea, diez años después de las conferencias de Madrid y cinco después del capítulo citado de la *Enciclopedia médico-quirúrgica*) Ey había presentado su concepción general de los delirios crónicos conforme a la conclusión de este último texto, basando su análisis estructural en las distintas modalidades de desestructuración del «cuerpo psíquico». O sea, distinguiendo en este grupo, por una parte, las psicosis sistematizadas o paranoia (reúne junto con la paranoia de Kraepelin propiamente dicha los delirios pasionales y los delirios de interpretación de la escuela francesa) y las parafrenias (Ey no emplea en el *Manuel* la terminología kraepeliniana para esta última especie y habla siempre a la francesa de psicosis alucinatorias crónicas y de psicosis fantásticas). Y, por otra parte, en otro capítulo, trata de las formas paranoides de la esquizofrenia, admitiendo que para él todas las esquizofrenias forman parte del grupo de los delirios crónicos. Admite que la clasificación francesa de los delirios crónicos es algo más complicada que la clasificación internacional.

Berrios, en su *History of Mental Symptoms,* se refiere a las ediciones posteriores del *Manuel* revisadas por Ey (la cuarta de 1974 y la quinta publicada en 1978, unos meses después de su muerte). Si comparamos los capítulos correspondientes de estas ediciones sucesivas vemos que, aparte de la necesaria actualización de los datos científicos, Ey no se aparta de la concepción que había expuesto por primera vez en las conferencias de Madrid. La reedición, a los veinte años de su muerte, de los *Estudios sobre los delirios,* es el mejor homenaje que podía rendir a su pensamiento la Fundación Archivos de Neurobiología.

La aportación de Henri Ey al diagnóstico de la psicosis delirante

Humberto Casarotti
Centro de Estudios e Investigación en Psiquiatría: Henri Ey, CEIP, Montevideo, Uruguay.

Introducción

El término «psicosis» ha adquirido significados tan diferentes que resulta imposible proponer una definición única del mismo[1]. Sin embargo, se utiliza tanto en el quehacer cotidiano como en los sistemas diagnósticos actuales, que lo emplean en un sentido descriptivo y generalmente adjetivo[2,3]. Reducido a la presencia de ideas delirantes, de alucinaciones o de comportamientos desorganizados, el «síntoma psicótico» aparece en diversas categorías diagnósticas. Simplificado de ese modo, es muy difícil saber qué relación guarda con conceptos tan intrincados y elaborados dificultosamente a lo largo de la evolución de la psiquiatría como los de psicosis agudas y crónicas, esquizofrenia, delirio, etc.

Esta presentación se divide en cuatro partes. En primer lugar,

[1] Garrabé, J.: *Dictionnaire taxinomique de psychiatrie*, París, Masson, 1989, p. 187.

[2] American Psychiatric Association: *DSM-IV. Diagnostic and Statistical Manual of Mental Disorders*, Washington, A.P.A., 1994.

[3] O.M.S.: *Décima revisión de la Clasificación Internacional de las Enfermedades. Trastornos mentales y del comportamiento (descripciones clínicas y pautas para el diagnóstico) (CIE-10)*, Madrid, Forma, 1992.

recurriendo a la definición del término «psicosis» que proponen los sistemas internacionales de diagnóstico, se consideran algunas de las etapas evolutivas de la psiquiatría con respecto al diagnóstico y a los conceptos de enfermedad y se destacan los aspectos positivos de esta evolución que aparecen integrados en los sistemas de diagnóstico mencionados. En la segunda parte, se analiza la evolución de las ideas relacionadas con las formas «psicóticas transitorias»[4], poniendo de relieve, así, algunas de las limitaciones de las que adolecen los sistemas actuales de diagnóstico. En tercer lugar, se presentan las tesis del modelo «órgano-dinámico» de Henri Ey[5], que constituye un paradigma psiquiátrico de valor teórico y práctico al haber permitido resolver intrincadas cuestiones conceptuales subyacentes a las limitaciones señaladas. Por último, se estudian algunos de los conceptos sobre «delirio» que aparecen en este sistema de pensamiento psiquiátrico, así como su significado en el diagnóstico de las psicosis.

1. ASPECTOS POSITIVOS DE LA EVOLUCIÓN EN EL DIAGNÓSTICO PSIQUIÁTRICO

Sólo a fines de este siglo y después de una larga evolución, los psiquiatras han coincidido en considerar la enfermedad mental como un fenómeno «mental» a la par que «patológico».

Dentro de la etapa actual de esa evolución puede destacarse[6-8]: a) el reconocimiento definitivo de que el diagnóstico es tan

[4] Tupin, J. P.; Halbreich, U.; Pena, J. J.: *Transient Psychosis: Diagnosis, Management and Evaluation,* Nueva York, Brunner/Mazzel, 1984.

[5] Ey, H.: «Outline of an organo-dynamic conception of the structure, nosography, and pathogenesis of mental disorders». En: Natanson, M. (ed.): *Psychiatry and Philosophy*, Nueva York-Berlín, Springer, 1969, pp. 111-161.

[6] Brill, H.: «Nosology». En: Freedman, A. M.; Kaplan, H. I. (eds.): *Textbook of Psychiatry,* Baltimore, Williams & Wilkins, 1.ª ed., 1967, pp. 581-589.

necesario en el ámbito de la psiquiatría como en el resto de la medicina; b) la distinción conceptual y práctica entre el diagnóstico de síndromes psíquicos (psicopatológicos) y el de factores causales («constructos de enfermedad»); c) el reconocimiento de la necesidad de una semiología fenomenológica para el diagnóstico de los tipos psicopatológicos; d) la propuesta de criterios y reglas diagnósticas que permitan aprehender los fenómenos en su «realidad psíquica» y aumentar, de este modo, el acuerdo entre los técnicos; e) el empleo de «constructos» de enfermedad mental que exigen ser validados reiteradamente; f) el establecimiento de una codificación multiaxial[9] que haga posible una evaluación más global del paciente, abriendo así a la psiquiatría al tratamiento diferencial.

Esta etapa es el resultado de una evolución aún en curso, cuyos momentos más significativos pueden resumirse del siguiente modo:

1.1. Lectura psicopatológica «en superficie»

Durante la casi totalidad del siglo XIX, si bien se aceptaba que algunos fenómenos psíquicos eran patológicos, se operaba con criterios diagnósticos y conceptuales de la enfermedad mental de carácter sintomático. En este contexto: a) los síndromes eran construidos como agrupaciones de síntomas psíquicos; b) los síntomas eran alteraciones en «más» (hiper), en «menos»

---

[7] Spitzer, R. L.; Wilson, P. T.: «Nosology and the official psychiatry nomenclature». En: Freedman, A. M.; Kaplan, H. I.; Sadock, B. J. (eds.): *Textbook of Psychiatry,* Baltimore, Williams & Wilkins, 2.ª ed., 1975, pp. 826-845.

[8] Spitzer, R. L.; Williams, J. B.: «Classification in psychiatry». En: Kaplan, H. I.; Sadock, B. J. (eds.): *Textbook of Psychiatry,* Baltimore, Williams & Wilkins, 4.ª ed., 1985, pp. 591-613.

[9] Mezzich, J. E.: «Multiaxial diagnostic systems in psychiatry». En: Kaplan, H. I.; Sadock, B. J. (eds.): *Textbook of Psychiatry,* Baltimore, Williams & Wilkins, 4.ª ed., 1985, pp. 613-616.

(hipo), o en «dis» de las funciones psíquicas que se consideraban normales; c) la normalidad de estas «funciones» surgía de la proyección sobre los pacientes de las experiencias psíquicas que proporcionaba la introspección. En el área de las psicosis, y desde esta perspectiva «en superficie», los síntomas centrales eran las ideas delirantes, las alucinaciones y los trastornos del comportamiento.

Aún cuando, a pesar de este contexto, se lograron descripciones perdurables, el hecho de operar con conceptos sintomáticos implicaba que, cuando se modificaban los síntomas, resultaba necesario cambiar el nombre de la «enfermedad mental», en una actitud mental verdaderamente transformista.

Es inherente a todo análisis de la vida mental el aprehender simultáneamente tanto el carácter unitario del psiquismo como la variabilidad de los fenómenos psíquicos. Por esta razón, durante la mayor parte del siglo XIX, se osciló, en lo que respecta al concepto de enfermedad mental, entre la idea de «psicosis única» y la de «enfermedades mentales múltiples»[10]. Por un lado, respondiendo al carácter unitario del psiquismo, la noción de «psicosis única» consideraba que las variedades sintomáticas no eran sino la manifestación de un mismo proceso de enfermedad: la «alienación mental». Por otro, reconociendo, en cambio, la variedad semiológica de los fenómenos patológicos, la idea de «enfermedades mentales múltiples» aparecía como una respuesta a la necesidad de establecer diferencias dentro de esa unidad.

Al considerar que el nivel sintomático psíquico no tenía consistencia en sí mismo y al valorar los síntomas únicamente como la manifestación de un proceso orgánico, ya fuese único o múltiple, ambos enfoques fundamentaban la consistencia de la patología en los factores causales. Al no distinguir la «distancia»

[10] Lanteri-Laura, G.: *Psychiatrie et connaissance*, París, Sciences en situation, 1991, pp. 49-92.

existente entre el proceso orgánico (de desorganización) y su manifestación psíquica, aún no se había logrado reconocer la vida mental en su realidad específica.

1.2. Reconocimiento de la existencia de una organización psíquica en un plano diferente al de los síntomas

La clínica mostraba que una gran parte de los pacientes delirantes crónicos presentaban un rasgo común: tendían a evolucionar hacia un déficit tardío, no demencial y contingente[11,12].

E. Kraepelin[13] tomó conciencia de que esta evolución deficitaria, característica de la demencia precoz de Morel, se manifestaba también en muchos pacientes hebefrénicos, catatónicos y delirantes crónicos, identificando así en pacientes tan heterogéneos la existencia de una misma enfermedad mental. Este concepto politético[14] convertía a las ideas delirantes en síntomas intercambiables con los catatónicos y hebefrénicos, ya que pesaban sólo porque eran la expresión de un mismo proceso. El núcleo central de la revolución kraepeliniana, esto es, la intuición de la realidad de un déficit psíquico subyacente, se expresó, precisamente, en esta actitud de restar relevancia a los síntomas aislados. Según esta concepción de la enfermedad mental, las producciones psíquicas (los fenómenos «positivos») eran consideradas como el medio a través del cual podía descubrirse qué realidad de la vida mental se desorganizaba.

[11] Ey, H.: «Schizophrénies». *Encyclopédie Médico-Chirurgicale, Psychiatrie*, (2), París, 1955; 37286, A10, 2.

[12] Minkowski, E.: «La genèse de la notion de schizophrénie et ses caractères essentiels (une page d'histoire contemporaine de la psychiatrie)», *L'Évolution Psychiatrique*, París, Payot, 1925.

[13] Kraepelin, E.: *Dementia Praecox and Paraphrenia*, Nueva York, Krieger RE, 1919. [Reimpresión, 1971].

[14] Andreassen, N. C.; Arndt, A.; Alliger, R.; Miller, D.; Flaum, M.: «Symptoms of schizophrenia», *Archives of General Psychiatry*, 1995; 52, pp. 341-351.

Este tipo de enfoque, que al principio se expresó imprecisamente como «trastornos en funciones psíquicas esenciales» o «relajación de las fuerzas afectivas que mantienen la coherencia del psiquismo», continuó desarrollándose con la obra de E. Bleuler[15], que se centró en la idea de que la fisonomía de los dementes precoces era la expresión de un estado psíquico especial.

Después de observar a estos pacientes durante el período de desarrollo de su enfermedad, Bleuler identificó los rasgos típicos de la variabilidad de los síntomas, modificando así radicalmente el propio concepto de síntoma. La mayor parte de la sintomatología pasó así a ser considerada reactiva, secundaria. Tanto las ideas delirantes como los demás síntomas eran de alguna manera síntomas accesorios, «ya que el paciente seguía tan enfermo como antes, aún cuando los síntomas no estuviesen presentes».

El síntoma en el sentido tradicional era una abstracción, una irrealidad, porque la semiología revela en su variabilidad trastornos de la unidad del psiquismo. Un síntoma puede ser configurado como «tal síntoma» sólo cuando se ha logrado captar «eso» que constituye el núcleo fundamental de cada trastorno del psiquismo[16]. Ese núcleo fundamental no reside en los síntomas entendidos como fragmentos psíquicos, sino en el modo peculiar en el que se generan o se manifiestan, es decir, en el proceso psíquico subyacente que hace que sean síntomas de «tal enfermedad». Lo fundamental en cada trastorno es esa estructuración, ese todo singular que, en cada uno, constituye «su síntoma fundamental». De ahí que Bleuler afirme que estos enfermos «no son dementes porque son esquizofrénicos», ya que lo que los caracteriza no es un defecto terminal, sino el que presenten

[15] Bleuler, E.: *Dementia Praecox or the Group of the Schizophrenias*, Nueva York, International University Press, 1950.

[16] Minkowski, E.: *Traité de psychopathologie*, París, Presses Universitaires de France, 1966, pp. 46-59.

un tipo especial de actividad mental, una actividad mental empobrecida que no puede ser definida por uno u otro síntoma, ni tampoco por el conjunto de ellos, sino por la organización que adopta la vida mental y que constituye una estructura típica.

A partir de la consideración de los trastornos psicóticos dentro de este contexto conceptual, la psiquiatría empezará a reconocer progresivamente que la semiología debe ser fenomenológica, tanto para poder darse realmente un objeto como para poder describirlo adecuadamente[17]. Sólo este modo de lectura es capaz de captar lo típico de cada déficit psíquico, en sus manifestaciones más variadas y atípicas.

Como ya señalara E. Minkowski, la concepción bleuleriana abrió el camino para una percepción fenomenológico-estructural. Los diagnósticos presentados en los sistemas actuales, a pesar de su pobreza psicopatológica, pueden ser considerados como esbozos de este tipo de lectura.

1.3. Comprensión de la patogenia psíquica de los síntomas

Al integrar las adquisiciones psicoanalíticas, Bleuler sostuvo también que estas estructuras psíquicas son intencionales, es decir, que se organizan en función de líneas pulsionales y que estos criptogramas de fuerzas inconscientes ponen de manifiesto la existencia de una profundidad psíquica, de una realidad psíquica «primaria». Como apunta acertadamente Lanteri-Laura[18], el concepto freudiano de enfermedad mental afirmó el carácter esencialmente psíquico de los síntomas, descubriendo que obedecen a una patogenia psíquica. Asimismo, constituyó de hecho una verdadera nosografía, proporcionando un principio de organización comprensible de las enfermedades mentales.

Sin embargo, la psiquiatría de modelo psicoanalítico, al des-

[17] Lanteri-Laura, G.: «Philosophie phénomenologique et psychiatrie», *Entretiens psychiatriques*, Privat, Toulouse, 1961; 6, pp. 19-40.

[18] Op. cit. en nota 10, pp. 93-116.

plazar progresivamente su praxis hacia la salud, se desinteresó por el diagnóstico, es decir, por la percepción de las diferencias estructurales entre salud y enfermedad. Este movimiento evolutivo tuvo lugar especialmente en la psiquiatría norteamericana, donde se abandonó el concepto de enfermedad mental para hablar tan sólo de «formas de reacción». Al considerar que la diferencia entre estos «modos de encarar la existencia» y las reacciones psíquicas normales era de orden exclusivamente cuantitativo, se inició una etapa durante la cual la psiquiatría no daba mayor relevancia al diagnóstico.

1.4. Reacción contra la tendencia a minimizar el diagnóstico y a extender el campo de aplicación de la psiquiatría

En 1952, con el primer manual de la serie de los DSM[19] (que mantenía un enfoque dicotómico «organogénico-psicogénico», consideraba como objeto diagnóstico a los tipos de reacción y exigía, de hecho, que el técnico utilizase un único diagnóstico) la psiquiatría norteamericana vio cómo se incrementaba desmesuradamente el número de los falsos positivos.

Con el desarrollo, en 1968, de la 2.ª edición del DSM[20] y la 8.ª edición de la Clasificación Internacional de Enfermedades, que fueron sistemas de transición, se hizo evidente: a) que la escasa utilización que se hacía de los sistemas diagnósticos se hallaba relacionada con la mezcla de criterios semiológicos y etiológicos; b) que la existencia de grandes diferencias epidemiológicas tenía que ver, predominantemente, con el tipo de criterios diagnósticos que se utilizaban; c) que un mismo trastorno mental podía variar en su presentación. Como consecuencia de todo ello, se intentó que el clínico pudiese expresar mejor su experiencia cotidiana, otorgándole la posibilidad de realizar varios diagnósticos.

19 Op. cit. en nota 6, p. 587.
20 Op. cit. en nota 7, p. 839.

En la década de los 70, al comprobarse que los bajos índices de acuerdo en los diagnósticos (índice kappa) se debían predominantemente al tipo de criterios utilizados, se inició en EE.UU. un trabajo progresivo que, pasando por la 9.ª edición de la CIE, condujo en 1980 al DSM-III[1] y a su formato revisado de 1986[22].

Algunas de las novedades más importantes de este sistema nosológico fueron: a) la eliminación de la dicotomía conceptual organogenia-psicogenia; b) la distinción entre los síndromes psicopatológicos típicos y los trastornos clínicos o tipos etiológicos (que son los que se codifican); c) la creación de ejes diferentes para distribuir toda la información psicopatológica y etiológica, lo que resultó útil desde el punto de vista del tratamiento diferencial.

En ese contexto se produjeron cambios fundamentales en el concepto de que los síndromes psiquiátricos, constituyendo categorías politéticas o disyuntivas[23] exigen una fundamentación metodológica específica (sumatorias algorítmicas) del proceso diagnóstico.

Al distinguirse entre la elaboración de una categoría y su aplicación al caso concreto, y al exigirse que esa aplicación fuese estricta, surgen necesariamente categorías atípicas[24]. Pero esas categorías atípicas no incluyen falsos positivos, sino, por el contrario, falsos negativos. De este modo, los grupos atípicos constituyen verdaderas categorías «de espera». Agrupan un conjunto de «fenómenos» con características difíciles de precisar. La exigencia de no incluir en las categorías típicas nada más que

[21] American Psychiatric Association: *DSM-III, Diagnostic and Statistical Manual of Mental Disorders*, Washington, A.P.A., 1980.

[22] American Psychiatric Association: *DSM-III-R, Diagnostic and Statistical Manual of Mental Disorders*, Washington, A.P.A., 1986.

[23] McHugh, P. R.; Slavney, Ph. R.: *Perspectivas de la psiquiatría*, Barcelona, Masson, 1985, pp. 31-37.

[24] van Praag, H. M.: *«Make-believes» in psychiatry or the perils of progress*, Nueva York, Brunner/Mazel, 1993, pp. 113-127.

lo que cumple estrictamente los criterios generó, en el área de las psicosis, un amplio capítulo atípico: el de los «trastornos psicóticos no clasificados en otro lugar».

La corrección progresiva de algunas insuficiencias de estos primeros intentos de sistematización de los diagnósticos psiquiátricos llevó al DSM-IV[25], precedido del acuerdo internacional expresado en el capítulo F de la CIE-10 en 1992[26].

En estos sistemas: a) se han mejorado los criterios diagnósticos, acordando una necesaria prioridad temporal al diagnóstico del tipo psicopatológico; b) se ha intentado resolver la dificultad metodológica de los diagnósticos «longitudinales» (tanto en esquizofrenia como en enfermedades afectivas); c) frente a los elevados porcentajes de comorbilidad[27], se han precisado los criterios de inclusión y exclusión, entendidos como los reguladores de la estructura del sistema[28]; d) se ha reconocido la necesidad de profundizar en el análisis de la relación «clínico/investigador», que es importante para lograr que la asistencia sea más técnica y que la investigación responda mejor a los objetivos terapéuticos de la práctica clínica.

2. LIMITACIONES CONCEPTUALES Y PRÁCTICAS DE LOS SISTEMAS DIAGNÓSTICOS ACTUALES

Los sistemas diagnósticos presentan también un conjunto de limitaciones tanto de naturaleza psicológica, en lo que concierne a los conceptos sobre la estructura del psiquismo, como semiológica, por la pobreza psicopatológica con que son definidos los criterios diagnósticos, y conceptual, en lo que respecta a los principios de ordenación nosológica.

[25] Op. cit. en nota 2.
[26] Op. cit. en nota 3.
[27] Op. cit. en nota 24.
[28] Op. cit. en nota 2, p. 5.

Estas limitaciones resultan muy evidentes cuando se considera cómo se ha procedido en el área de los trastornos psicóticos, especialmente con respecto a las formas de psicosis transitorias (*bouffées délirantes,* psicosis delirantes agudas, trastornos psicóticos breves, etc.). Si bien se trata de fisonomías clínicas que ya habían sido diferenciadas en las escuelas europeas del siglo pasado y que han constituido un aspecto central del desarrollo de las obras de diversos autores[29,30], estas estructuras psicopatológicas no aparecen definidas aún en función de sus características específicas. Los sistemas actuales no reflejan la importancia que han tenido en la evolución del saber psicopatológico.

A pesar de las oscilaciones con que se han concebido estas gestalts sintomáticas, se ha terminado finalmente por reconocerlas en los dos sistemas de mayor difusión internacional: en la CIE-10[31] como «trastornos psicóticos agudos y transitorios» y en el DSM-IV[32] como «trastorno psicótico breve».

Ambos sistemas aceptan la existencia de trastornos psicóticos que: a) iniciados súbitamente, se caracterizan tanto por su complejidad sintomática (alucinaciones, delirios, angustia, trastornos de conciencia, variaciones emocionales, agitación, estupor, conductas desorganizadas y catatónicas, etc.), como por su variabilidad a lo largo del día y de los días; b) presentan una duración relativamente breve y tienen, en general, una buena evolución con recuperación completa.

Al definir los trastornos psicóticos breves en función de un conjunto de síntomas como el señalado, resulta difícil concebir-

[29] Ey, H.: *Études psychiatriques,* T. III, París, Desclée de Brouwer, 1954, pp. 201-324.

[30] Barcia, D.: «The clinical evaluation of cycloid psychoses». En: Pichot, P.; Rein, W. (eds.): *The clinical approach in psychiatry*, París, Synthélabo, 1991, pp. 305-321.

[31] Op. cit. en nota 3, p. 129.

[32] Op. cit. en nota 2, p. 302.

los de modo específico y diferenciarlos de otros trastornos a los que aparecen asociados, semiológica y evolutivamente: 1) los episodios de trastornos del humor con síntomas psicóticos; 2) el trastorno esquizofreniforme; 3) el trastorno esquizoafectivo; 4) la esquizofrenia; y 5) el trastorno delirante crónico *(delusional disorder)*.

Estas dificultades no han pasado desapercibidas, ya que se señala que para realizar estos diagnósticos diferenciales el médico puede recurrir a su juicio clínico[33]. El problema es que, al utilizar los criterios «simples y claros» pero pobres, desde el punto de vista psicopatológico, proporcionados por los sistemas, el psiquiatra comprueba rápidamente que esos criterios no le permiten establecer un diagnóstico positivo fiable.

Esta dificultad cotidiana a la que se enfrenta la práctica clínica parece explicar las continuas oscilaciones que han reflejado los sistemas en su intento de validar los criterios diagnósticos para estas diferentes «psicosis transitorias».

Si repasamos brevemente los cambios en la denominación y en la ubicación nosológica de estos «trastornos psicóticos transitorios» que se observan en la evolución de los DSM, es posible realizar algunas observaciones.

En el DSM-I, la esquizofrenia era considerada como una enfermedad no necesariamente crónica, y estos trastornos eran definidos sencilla y rápidamente como «formas de esquizofrenia aguda»[34].

Aunque el DSM-II no reflejó cambios importantes, se modificó sin embargo su denominación, acentuándose su carácter episódico: se hablaba así de «episodios agudos de esquizofrenia»[35].

En el DSM-III, la esquizofrenia pasó a ser considerada como una enfermedad mental crónica, por lo que se hizo necesario dis-

[33] Op. cit. en nota 2, p. 6.
[34] Op. cit. en nota 6, p. 587.
[35] Op. cit. en nota 7, p. 839.

tinguir, junto a los trastornos delirantes crónicos, una forma «paranoide aguda», así como reunir distintos trastornos transitorios en un mismo grupo de trastornos psicóticos «atípicos». Dentro de este grupo se distinguieron, en función de criterios simplistas (reactivo, humor, síntomas esquizofrénicos), diferentes trastornos: la psicosis reactiva breve, el trastorno esquizofreniforme y el trastorno esquizoafectivo, definidos todos ellos como formas atípicas. Este conjunto, al igual que los demás cuadros atípicos, se convirtió en un grupo «a la espera» de ser resuelto conceptualmente.

En la edición revisada en 1996, lo «paranoide» se vio limitado a los delirios crónicos, con lo cual desaparecieron las formas «paranoides agudas» del DSM-III. En el trastorno esquizofreniforme (que tan sólo se diferenciaba de la esquizofrenia por su duración), se estableció una forma de buen pronóstico, cuyos criterios diagnósticos se superponían a los de los trastornos psicóticos breves reactivos (excepto en el hecho de que no eran reactivos a un factor de estrés). La simplificación de los criterios diagnósticos redujo la complejidad psicopatológica de las realidades clínicas, sin permitir, por ello, mejorar el acuerdo entre los clínicos.

Finalmente, en el DSM-IV[36], cada trastorno psicótico aparece presentado como una categoría diagnóstica, con lo cual desaparece el conjunto de los «no clasificados en otro lugar». Al proceder de ese modo, fue necesario establecer un «trastorno psicótico breve», caracterizado por su corta duración. De esta suerte se minimiza definitivamente el carácter «reactivo» con el que hasta el DSM-III-R se habían definido estos trastornos psicóticos transitorios.

Resulta significativo señalar que esta evolución es muy similar a la que tuvo lugar en el siglo pasado[37]. A pesar de que estos

[36] Op. cit. en nota 2, p. 273.
[37] Op. cit. en nota 29, pp. 11-45.

cuadros fueron reconocidos en el XIX como *bouffées délirantes* y como «paranoias curables», tampoco fue fácil clasificarlos, debido a los principios empleados en la época. Su conceptualización y su denominación dependían del elemento que el clínico privilegiase: cuando se destacaba el síntoma alucinatorio o delirante, se hablaba de «formas agudas de delirios crónicos»; cuando se tomaban en cuenta los síntomas del humor, se consideraban como «formas atípicas de trastornos afectivos»; cuando el trastorno aparecía como la expresión evidente de un factor orgánico diagnosticable, se aludía a ellos como «formas atípicas, crepusculares de confusión mental».

Sin embargo, dado que todas las formas psicóticas transitorias no aparecían clasificadas dentro de esos tres grandes grupos de la patología mental, se intentó conferir consistencia nosológica a estos cuadros, no en función de un concepto psicológico, sino de un «factor degenerativo» (psicosis borderline de Kleist; psicosis cicloides de Leonhard).

Por consiguiente, es posible afirmar que los trastornos psicóticos transitorios han planteado dificultades semejantes en dos momentos históricos diferentes, tanto en lo que respecta a su tipificación como a su clasificación. En efecto, esta gestalt psicopatológica aparece siempre como atípica cuando se pretende utilizar criterios diagnósticos «simples y claros» y queda al margen de los tipos clínicos tradicionales cuando éstos son construidos mediante principios de clasificación artificiales.

Lo mismo ocurre en los sistemas actuales, ya que la posibilidad de diagnosticar positivamente estos fenómenos (como trastorno psicótico breve), diferenciándolos de las formas clínicas con las que se relacionan, depende, en último término, del criterio simplificado que se elija: 1) si lo que se valora es su brevedad, se diagnostica como «trastorno psicótico breve»; 2) si se hace hincapié en la alteración del humor, se utilizan las formas psicóticas de los «trastornos del humor con síntomas psicóticos» o de los «trastornos esquizoafectivos»; 3) si lo que se destaca, en cambio, es una etiología orgánica, se habla de formas atípicas de delirium; 4) finalmente, si el diagnóstico se fundamenta en el criterio A de esquizofrenia, se concluye que se trata de un «trastorno esquizofreniforme de buen pronóstico». Esta breve revisión permite concluir que, debido a su complejidad psicopatológica, estas «locuras cortas»[38], no han dado lugar aún a criterios unánimes que hagan posible su diagnóstico y clasificación según su realidad.

Todo lo expuesto anteriormente parece indicar que la resolución de esta compleja realidad clínica y su integración dentro del conjunto de la patología mental exige cambios en la aproximación semiológica (para poder captar estos cuadros en su tipicidad), en los criterios diagnósticos (para poder conceptuarlos en su especificidad) y, finalmente, en los principios que rigen la organización de los sistemas (para lograr clasificarlos «naturalmente» dentro de los trastornos psicóticos).

3. El modelo de Henri Ey y la resolución de los problemas planteados por las «psicosis agudas»

Los conceptos del modelo «órgano-dinámico» de H. Ey, resultado de la observación clínica y de la reflexión psicopatológica, han permitido resolver los problemas que planteaban las «psicosis agudas». Como este modelo constituye un desarrollo logrado a lo largo de muchos años, sólo es posible presentar aquí algunas breves consideraciones acerca de las exposiciones centrales de Ey[39-42].

[38] Op. cit. en nota 29, pp. 653-755.

[39] Ey, H.: *La conscience*, París, Presses Universitaires de France, 2.ª ed., 1968.

[40] Op. cit. en nota 5.

[41] Ey, H.: «Le modèle organo-dynamique». En: *Traité des hallucinations,* II, París, Masson, 1973, pp. 1.075-1.348.

3.1. Esquema de clasificación resultante del modelo órgano-dinámico

Ey, fiel a la idea jacksoniana de que la patología desintegra la vida mental revelando las «invariantes funcionales» que constituyen la infraestructura psíquica, clasifica los tipos psicopatológicos en función de dos estructuras, abandonando así distinciones artificiales. Habitualmente, los psiquiatras proceden en su actividad diaria siguiendo un esquema nosológico básico formado por tres grupos[43]: el de las enfermedades mentales derivadas de trastornos orgánicos («exógenas»), el de las enfermedades mentales evolutivas («endógenas») y el de las reacciones y variaciones psíquicas anormales. Rompiendo con esta tradición, Ey propuso una clasificación completamente diferente distinguiendo, según los trazos de fractura virtuales del organismo psíquico: a) las desestructuraciones del campo de la conciencia y b) las desorganizaciones del sistema de la personalidad.

De acuerdo con este esquema, los episodios maníacos y depresivos constituyen el nivel más leve y superior de desorganización de la estructura psíquica que es el campo actual de la conciencia, frente a los episodios de confusión mental (o delirium) que constituyen su nivel más grave o inferior. Los «trastornos psicóticos breves» de los sistemas actuales, correspondientes a las psicosis delirantes agudas de la tradición europea, ocupan el centro de este abanico de psicosis agudas.

Por otro lado, en la nosología de Ey, las demencias deben ser entendidas como las desorganizaciones más graves de la estructura de la personalidad, cuyas otras alteraciones son los trastornos de carácter (de «personalidad» en los sistemas actuales) y las tradicionales neurosis y psicosis. Ey distinguió estos dos tipos de

---

[42] Ey, H.: *Des idées de Jackson à un modèle organo-dynamique en psychiatrie,* Toulouse, Privat, 1975.

[43] Jaspers, K.: *Psicopatología general,* Buenos Aires, Beta, 1963. [Traducción de la 5.ª edición alemana], pp. 692-706.

trastornos como «agudos» y «crónicos», utilizando ambos términos en un sentido muy distinto al de curable/incurable.

Este esquema aparece muy naturalmente validado cuando se abandonan, a causa de su artificialidad, los principios de ordenación nosológica clásicos: «primario/secundario» y «exógeno/endógeno».

3.2. Tesis del modelo órgano-dinámico

Con la primera tesis, Ey propone: a) que la realidad del psiquismo es ser un organismo, el «cuerpo psíquico»; b) que éste aparece estructurado jerárquicamente, con una ontogenia psíquica cuyas fases evolutivas integran virtualmente su organización, constituyendo su infraestructura; y c) que este orden puede desorganizarse y que su desorganización constituye las diferentes formas de la patología mental, patología que aparece así como virtual en la organización del «cuerpo psíquico».

La segunda tesis sostiene que, dado que la estructura de la patología mental es una organización deficitaria, regresiva, se constituye siempre como una ruptura de la coexistencia y de la intercomunicación. Siendo patológico el modo de existir, la comunicación es cualitativamente diferente y esta heteronomía es lo que le da «forma» a la sintomatología.

En la tercera tesis, Ey considera que la forma o estructura de los diversos tipos psicopatológicos sólo puede ser aprehendida por los análisis fenomenológicos de la interrelación y del modo de coexistir. Estos análisis fenomenológicos permiten, por un lado, comprender los trastornos mentales como niveles inferiores de la vida mental, dinámicos y evolutivos, y por otro acceder al principio básico de clasificación, la distinción entre las dos estructuras psíquicas a la que aludíamos anteriormente.

Con la cuarta tesis, se pone de relieve que al ordenar los trastornos mentales según este criterio natural, todos pueden ser considerados como «orgánicos», en un doble sentido: en primer lugar, porque son siempre el resultado de un proceso somatógeno (como se afirma en la psiquiatría actual) y en segundo lugar, porque conllevan una desorganización organísmica, ya que, en el modelo órgano-dinámico, la verdadera causalidad reside en la desorganización del cuerpo psíquico. Una desorganización que, si bien responde a un mismo proceso de regresión, se presenta sin embargo como múltiple, en razón de su patogenia psíquica. Esta diversidad refleja la realidad del psiquismo en su «espesor» y explica la diferente separación *(écart, gap)* que existe entre el proceso orgánico y su manifestación psíquica.

3.3. Significado de agudo y crónico

La distinción entre trastornos agudos y crónicos implica el reconocimiento de cursos mórbidos de estructura diferente.

Al concebir los trastornos «agudos» como crisis[44] que tienden a revertir y que son, frecuentemente, la expresión de procesos orgánicos diagnosticables, Ey penetró en su diversidad, logrando reconocer su unidad en el espectro de sus manifestaciones. Así, la tipicidad de los distintos trastornos agudos no se fundamenta en tal o cual síntoma, sino en la organización regresiva que adopta la estructura de la conciencia. Con este criterio desaparecen las formas intermedias y de transición, es decir, las formas atípicas, ya que es precisamente en la variabilidad de sus síntomas donde el clínico debe reconocer cada nivel típico (formas semiológicas y evolutivas de las diferentes «psicosis agudas»)[45]. En el área de lo agudo, los «trastornos delirantes transitorios», denominados por Ey «psicosis delirantes y alucinatorias agudas», constituyen el centro del espectro de las psicosis agudas y guardan relaciones naturales con los episodios maníacos y depresivos, así como con la confusión mental (delirium), según pone de manifiesto continuamente la clínica cotidiana.

Por otro lado, Ey entiende por «crónicos» aquellos trastor-

[44] Op. cit. en nota 29.
[45] Op. cit. en nota 29.

nos de desarrollo lento que, después de un largo proceso de desorganización del sistema de la personalidad, culminan como formas de «equilibrios patológicos». En el área de los trastornos psicóticos crónicos, percibidos según los conceptos órgano-dinámicos, se abren perspectivas que enriquecen la observación y la reflexión psicopatológica: a) los trastornos delirantes crónicos (*delusional*) se definen como un género de alteraciones del sistema de la personalidad; b) la esquizofrenia se define como una especie de este género y como el polo deficitario contingente hacia el que tienden a evolucionar todas estas formas delirantes[46]. Esta concepción exige que se tomen en cuenta los síntomas negativos característicos de este déficit y, por consiguiente, las dificultosas cuestiones que supone el encarar los diagnósticos longitudinalmente[47]; c) por otro lado, al insistir en que el núcleo de la esquizofrenia es la forma autística que adopta la vida mental, que se presenta así discordantemente, Ey considera que las formas naturales de esquizofrenia son las formas evolutivas del autismo según su gravedad[48], y no las aceptadas desde Kraepelin hasta el momento actual, que en realidad, como ya observara Bleuler[49], son «externas» al proceso de la enfermedad.

La distinción agudo/crónico, liberada de la dicotomía exógeno/endógeno y centrada en los diferentes niveles de desorganización de la conciencia y de la personalidad, constituye una clave válida para considerar distintas articulaciones evolutivas que la clínica presenta de modo sistemático: a) al reconocer la distinta estructura de los trastornos delirantes, se hace posible analizar la interrelación evolutiva recíproca existente entre tras-

[46] Ey, H.: *Estudio sobre los delirios,* Madrid, Paz Montalvo, 1950.

[47] Op. cit. en nota 14.

[48] Ey, H.; Bonnafous-Sérieux, M.: «Études cliniques et considérations nosographiques sur la "démence précoce"», *Annales Médico-Psychologiques,* 1938; II, pp. 360-394.

[49] Op. cit. en nota 15, p. 204.

tornos agudos y crónicos[50,51]; b) se toman en cuenta las relaciones «anastomóticas» observables con respecto a los episodios del humor y a sus evoluciones crónicas afectivas y de carácter[52]; c) se facilita la comprensión de las evoluciones psicóticas persistentes en la epilepsia[53]; d) se hace posible analizar los efectos reverberantes entre los trastornos de personalidad y los episodios agudos del humor y delirantes.

3.4. Algunos corolarios teórico-prácticos relevantes

Los conceptos órgano-dinámicos tienen consecuencias importantes desde el punto de vista práctico, entre las que cabría destacar las siguientes.

La primera se refiere a la relación existente entre «los sistemas de diagnóstico» y la escuela de formación psiquiátrica. Si se acepta que la tipificación y la ordenación de las estructuras psicopatológicas es inseparable de una aproximación fenomenológica, por pobre que ésta pueda ser, es evidente que el desarrollo de los sistemas de diagnóstico no es ajeno a la atmósfera académica en la que nace y, a su vez, que este ambiente de formación se beneficia de la aplicación del sistema de diagnóstico, que se ve así corregido progresivamente. Buen ejemplo de ello es la evolución de los DSM y su insistencia en la necesidad del juicio del clínico, que sólo puede ser enseñado y aprendido a través de

[50] Barres, P.; Ey, H.; Laboucarie, J.: «L'évolution des schizophrénies (les remissions spontanées et les critères évolutifs d´après les données statistiques», *L'Évolution Psychiatrique,* 1953; 18 (2), pp. 239-279.

[51] Ey, H.; Igert, D.; Rappard, Ph.: «Psychoses aigües et évolution schizophrénique dans un service de 1930 à 1956», *Annales Médico-Psychologiques,* 1957; 115 (II), pp. 231-240. (v. p. 238).

[52] Cassano, G. B.; Maggini, C.; Akiskal, H.: «Short-term, subchronic and chronic sequelae of affective disorders». En: Akiskal, H. (ed.): *Diagnosis and Treatment of Affective Disorders. Psychiatric Clinics of North America,* 1983; 6 (1), pp. 55-67.

[53] Op. cit. en nota 29, pp. 519-652.

la asistencia cotidiana a los pacientes, realizada dentro de una escuela de formación.

Una segunda consecuencia práctica sobre la cual Ey insistió repetidamente tiene que ver con la organización global de los servicios psiquiátricos[54]. Tanto si los servicios se desarrollan en función de un factor etiológico como en función de los tipos de atención, se hace evidente la necesidad de organizar la atención psiquiátrica siguiendo dos grandes criterios: por un lado, la atención debe abarcar imprescindiblemente la totalidad del área de la patología en sus diferentes momentos evolutivos y, por otro, no debe separar la asistencia de los pacientes en agudos y crónicos, ya que resulta no sólo imposible sino también antieconómico. Estos criterios, corolarios prácticos del modelo órgano-dinámico, deberían ser desarrollados por los psiquiatras y transmitidos a los administradores de los servicios.

En tercer lugar, los conceptos órgano-dinámicos tienen consecuencias prácticas en las diferentes áreas de investigación: la etiología, la terapéutica y la definición de caso epidemiológico. En la medida en que la psiquiatría ha progresado hacia un estado de equilibrio[55], se ha hecho patente que todas estas investigaciones deben integrar una aproximación clínica propiamente dicha. Las investigaciones han de tener en cuenta las numerosas variables que el clínico maneja en su práctica diagnóstica y terapéutica, lo que significa: a) que en la determinación del «caso de investigación» es necesario introducir el halo estructural global que caracteriza a cada trastorno mental, sin limitarse a ciertos síntomas y sin excluir ninguno por su severidad o por su no-tratabilidad actual; b) que las hipótesis de los modelos subyacentes deben ser comprobables, como lo son las hipótesis del modelo órgano-dinámico[56].

[54] Ey, H.: *Plan d'organisation du champ de la psychiatrie,* Tolouse, Privat, 1966.

[55] Lehmann, H.: «Is psychiatry approaching a steady state?», *Comprehensive Psychiatry,* 1980; 21, pp. 444-449.

[56] Op. cit. en nota 42, pp. 273-290.

Las investigaciones fundamentadas de ese modo, además de generar información clínica relevante, se presentan como el substrato necesario para afrontar las difíciles cuestiones que surgen reiteradamente en la relación «asistencia/investigación».

El avance de la investigación en el momento actual exige que los clínicos y los psicopatólogos proporcionen a los investigadores y a los administradores de servicios modelos que, como el paradigma «órgano-dinámico», respondan a la complejidad real de los trastornos mentales.

4. CONCEPTOS SOBRE EL DELIRIO EN LA OBRA DE HENRI EY Y SU INTERÉS EN EL DIAGNÓSTICO DE LA PSICOSIS

Los sistemas actuales de diagnóstico recogen las formas psicóticas dificultosamente distinguidas a lo largo de la evolución de la psicopatología europea, pero se apartan de ésta en lo que se refiere a la relación psicosis/delirio. En su «teorización ateórica», estos sistemas[57,58] presentan los criterios diagnósticos de los trastornos psicóticos tradicionales (en particular la esquizofrenia, los trastornos delirantes persistentes, los trastornos psicóticos agudos y transitorios, el trastorno esquizotípico y el trastorno psicótico inducido o compartido) y describen dos trastornos difíciles de identificar en función de los síntomas y reglas propuestos: el esquizofreniforme y el esquizoafectivo. Si bien los dos sistemas ordenan de forma diferente los trastornos psicóticos, ambos coinciden en los criterios diagnósticos utilizados y en el hecho de no presentar conceptos de enfermedad. Incluso el DSM-IV define «lo psicótico» de manera diferente y más o menos restringida según cada tipo de trastorno[59] («psicótico»

[57] Op. cit. en nota 2.
[58] Op. cit. en nota 3.
[59] Op. cit. en nota 2, p. 273.

como ideas delirantes o alucinaciones con o sin conciencia; «psicótico» como comportamiento desorganizado o catatónico). Este modo impreciso de resolver las cuestiones que plantean las psicosis es una decisión pragmática aceptable en un sistema de clasificación, pero deja de ser una solución cuando la imprecisión refleja una carencia de estructuración psicopatológica del sistema.

Con respecto a este aislamiento y a esta carencia, el pensamiento de Ey aparece como una hipótesis de trabajo coherente desde el punto de vista conceptual y útil en la práctica. Como hipótesis nacida de la experiencia clínica, sirve para que el psiquiatra, conjugando los datos procedentes de áreas diferentes, pueda diagnosticar, es decir, reconocer «lo monótono» de las fisonomías delirantes en lo variable de su presentación. En este sentido, el modelo órgano-dinámico proporciona un contexto para que los actos diagnósticos y terapéuticos sean, por un lado, verdaderos juicios técnicos y, por otro, dejen de ser percibidos por el práctico como tareas que lo apartan de la realidad vital de sus pacientes.

Los aspectos más relevantes de las ideas de Ey sobre estas cuestiones, que se exponen a continuación, son los siguientes: la consideración de los delirios como «procesos» de destrucción de la realidad (4.2), que restituye su unidad a las diferentes semiologías delirantes (4.1) y la relevancia del modelo órgano-dinámico con respecto al diagnóstico y a la clasificación tanto de las psicosis agudas (4.3) como de las crónicas (4.4)(4.5), así como con respecto a la relación psicosis/neurosis (4.6).

4.1. Dos imágenes de pacientes delirantes

Dice Ey[60] que en la aprehensión del delirio interfieren dos imágenes: por un lado, la del paciente febril, deshidratado,

[60] Ey, H.: «Le fond du problème». En: Ey, H. (ed.): *Délires, Revue de Médecine,* 1968; 9, pp. 1.547-1.555.

«enfermo», que delira y que en su pesadilla vive los preparativos de la muerte a la que se ve arrastrado; por otro lado, la imagen del paciente lúcido y sano físicamente que relata «la persecución que percibe alrededor de sí y que debe finalizar en su muerte».

El primero experimenta un acontecimiento que se presenta ante el clínico como un trastorno global del psiquismo derivado de un desorden somático, «cerebral o extracerebral» (confusión mental por encefalitis, estado crepuscular epiléptico, trastorno de conciencia por una intoxicación, etc.). Por lo general, el carácter «confuso» de su semiología y la urgencia terapéutica postergan el análisis semiológico en estas formas de delirio. Valorados en un sentido análogo al de la ensoñación (rêve), estos delirios constituyen la expresión clara de un trastorno profundo y global de la vida mental. En estos casos la vivencia patológica se presenta como un estado delirante (delirio-estado) y, por consiguiente, inseparable del fondo de desorden psíquico que la condiciona. Estos «delirantes agudos» (cfr. infra, 4.3) son «psicóticos agudos» porque, aunque todos ellos sufren una alteración de la realidad, no todos presentan una expresión delirante semiológica.

La segunda forma de delirio, valorada, dada la lucidez del paciente, como un trastorno parcial del psiquismo, fue considerada como la verdadera forma del delirio, como el delirio «primario» o la forma prototípica de «la locura». Estos delirios (delirio-idea), al permitir el análisis psicológico (tanto por la lucidez que muestra el paciente como por su persistencia) fueron considerados como unidades aislables, claras y precisas[61] y, por ello mismo, «despojados del contexto psicopatológico que constituye la sustancia misma del delirio». Pensar que es posible separar la expresión delirante del estado de delirio que la genera lleva a definir el delirio por su contenido. Esto significa

[61] Op. cit. en nota 46.

ignorar que lo esencial del acto de delirar es que constituye un tipo de desorganización mental, un trabajo de destrucción cuyo fruto, más o menos organizado, son las expresiones delirantes. Equivale, en último término, a tomar en consideración la semiología del «delirio» (delirio como tema, modos de expresión, organización, etc.) sin aprehender la psicosis real que presenta el paciente.

Esta continua oscilación entre el contenido delirante expreso (figura) y el estado delirante (fondo) constituye la exigencia primaria en el proceso diagnóstico del tipo de estructura delirante presente.

4.2. Los delirios como producto de un proceso de desorganización psíquica

Ey sostiene que, aunque algunos delirios se presenten como «experiencias» y otros como «ideas», ambos tipos constituyen la manifestación secundaria de un trabajo primario de desorganización psíquica, una desorganización que en el caso de los delirios altera la constitución de la realidad, como realidad vivida o como sistema relacional del Yo con su mundo[62].

Ey considera que, como género, «la psicosis» (el delirio) constituye la forma de enfermedad mental más indiscutida y el fenómeno psicopatológico más innegable[63] y que, por esta razón, los «alienados» representan el núcleo central del campo de la psiquiatría. Según Ey, tanto la «psicosis» del siglo XX como el «delirio» del siglo XIX corresponden a formas de enfermedad mental que alteran al sujeto, trastocando su relación con la realidad. Se trata de enfermedades mentales cuya realidad (no física, pero sí corporal) reside en una desorganización específica de

[62] Ey, H.: «La psychose et les psychotiques (essai d'analyse logique et structurale)», *L'Évolution Psychiatrique*, 1975; 40 (1), pp. 103-116.

[63] Ey, H.: *Réflexions sur la psychose,* Association de Santé Mentale, 13e Arrondissement de París, Toulouse, Privat, 1974, pp. 11-18.

los procesos psíquicos constitutivos de la realidad[64], en una modificación estructural de la reactividad psíquica normal[65]. Por eso, insiste en la necesidad de «encarnar», de «in-corporar» los delirios (experiencias o ideas) a los estados delirantes, es decir, a la actividad de delirar.

Ese desorden psíquico es evidente en los casos en los que la expresión delirante no puede separarse del contexto (experiencias delirantes agudas), del mismo modo que el fenómeno de soñar es inseparable del acto de estar durmiendo. En las formas de delirio crónico, en cambio, es necesario reconocer ese trabajo destructivo, presente «por detrás» de los distintos discursos que las caracterizan y diferencian[66]. Es en este punto donde cobra todo su interés y valor el trabajo de K. Jaspers sobre los delirios de celos[67], ya que al desarrollar su concepto de «proceso psíquico» obligó a considerar nuevamente todos los delirios como «estados delirantes», esto es, a considerar los contenidos temáticos como los productos resultantes de diferentes procesos de desorganización. Por consiguiente, todos los delirios son procesuales y los productos temáticos secundarios y en cierto modo contingentes[68]. En ese estudio (analizado por Ey en varias partes de su obra[69-70]), Jaspers distingue, frente a los celos normales (desarrollos), dos formas de delirios de celos: los delirios provocados por un proceso físico-psicótico y los delirios de celos,

[64] Ey, H.: «Système nerveux et troubles nerveux», *L'Évolution Psychiatrique,* 1947; 12, pp. 71-104.

[65] Ey, H.: «La notion de "réaction" en psychopathologie (essai critique)», *Confrontations Psychiatriques,* 1974; 12, pp. 43-62.

[66] Ey, H.: «Les hallucinations dans les psychoses délirantes chroniques», En: *Traité des hallucinations,* II, París, Masson, 1973, pp. 741-854.

[67] Jaspers, K.: «Delirio celotípico, contribución al problema: ¿"desarrollo de una personalidad" o "proceso"?». En: *Escritos psicopatológicos*, Madrid, Gredos, 1977, pp. 111-181.

[68] Op. cit. en nota 46, p. 19.

[69] Op. cit. en nota 66, pp. 797 y 819.

[70] Op. cit. en nota 41, p. 1.272.

consecuencia de un «proceso psíquico». Este proceso psíquico consiste «en una transformación del sentido de la existencia, en un cambio de dirección que metamorfosea la personalidad, de una vez para siempre»[71].

4.3. La unidad del campo de conciencia actual y sus desestructuraciones: las psicosis agudas

El análisis de las «crisis agudas y subagudas, paroxísticas, intermitentes o periódicas», que Ey presenta en 1954[72] con el nombre de «psicosis agudas», constituye una de las partes más importantes de su obra (la descripción que hace en 1950[73] no presenta aún el grado de sistematización que conferirá posteriormente al conjunto de los episodios agudos).

Tras analizar la serie continua de síndromes psicopatológicos «agudos» que sólo artificialmente pueden ser separados (manía, depresión, psicosis delirantes agudas y confusión mental), Ey considera que todas estas psicosis agudas son «delirantes y alucinatorias», en tanto en cuanto constituyen estados que desorganizan la actividad perceptiva, entendiendo ésta como la actividad que ordena «las categorías del sistema de la realidad»[74], aunque puedan distinguirse diferentes niveles en esta desorganización. Por un lado, se refiere a los llamados actualmente «síntomas psicóticos congruentes» de los síndromes maníacos y depresivos[75] como delirios *in statu nascendi*[76], absorbidos por el trastorno del humor, y considera el delirio onírico[77], actualmente *delirium*[78], como una experiencia delirante típica que frecuentemente desa-

[71] Op. cit. en nota 66, p. 823.
[72] Op. cit. en nota 29.
[73] Op. cit. en nota 46, pp. 31-49.
[74] Ey, H.: *Traité des hallucinations,* París, Masson, 1973, pp. 18-20.
[75] Op. cit. en nota 2, p. 377.
[76] Op. cit. en nota 29, pp. 62 y 132.
[77] Op. cit. en nota 29, p. 349.
[78] Op. cit. en nota 2, p. 124.

parece bajo la confusión. Por otro lado, describe[79] experiencias psicóticas (*bouffées délirantes,* «psicosis delirantes agudas», «trastorno psicótico breve»...) en las que la semiología delirante y alucinatoria aguda constituye el aspecto nuclear.

Este esquema «natural» de ordenación de las experiencias delirantes de los episodios psicóticos transitorios permite resolver varias dificultades diagnósticas, que actualmente han pasado a ser relevantes al disponerse de terapéuticas diferenciales: a) hace posible la distinción entre lo que constituye sustantivamente la estructura de cada nivel de «desestructuración del campo de la conciencia» y los síntomas «semejantes» de humor, delirio y alteración de conciencia con los que se presentan todos estos síndromes; b) permite evitar el error de diagnosticar comorbilidad valorando en el mismo paciente como niveles estructurales diferentes lo que es tan sólo una expresión del carácter intrínsecamente atípico de estas formas clínicas o de sus oscilaciones evolutivas; c) hace posible plantear de modo lógico lo que continúa siendo uno de los asuntos centrales de la clínica psiquiátrica: el diagnóstico diferencial entre la «experiencia delirante aguda» y los trastornos psicóticos persistentes[80] (trastornos delirantes crónicos y esquizofrenia).

La evolución en el diagnóstico psiquiátrico que se produjo en Norteamérica tuvo que ver, en gran parte, con el error de identificar como esquizofrénicos a pacientes con trastornos del humor a través de la categoría de «esquizofrenia aguda». Si bien actualmente se ha vuelto a reconocer el carácter crónico de la esquizofrenia, la variedad y la complejidad de las fisonomías clínicas subyacentes a la categoría «esquizofrenia aguda» aún no han recibido una respuesta adecuada. Tampoco el clínico ha logrado codificar satisfactoriamente las relaciones evolutivas recíprocas

[79] Op. cit. en nota 29, pp. 201-324.

[80] Laboucaire, J.: «Le devenir des psychoses delirantes aigües et le risque de leur évolution schizophrénique secondaire», *Confrontations Psychiatriques,* 1968, 2, pp. 31-51.

que se establecen entre las psicosis transitorias y las psicosis persistentes. Esta afirmación se apoya en el análisis de la evolución de las categorías diagnósticas «psicóticas agudas» (trastornos esquizofreniforme, esquizoafectivo y psicótico breve) que resultan insuficientes debido a la ausencia de un modelo conceptual como, por ejemplo, el propuesto por H. Ey.

4.4. Delirios crónicos

Basándose en la tesis de que la expresión delirante no es sino el producto secundario y contingente de esas enfermedades destructivas que son las psicosis (o las enfermedades delirantes), Ey afirma[81-83]:

a) Que todas las enfermedades que alienan al paciente son enfermedades delirantes propiamente dichas, presenten o no un delirio semiológico.

b) Que la enfermedad delirante paradigmática, por ser la más destructiva, es la esquizofrenia, de tal modo que en su evolución, con frecuencia, los contenidos delirantes se vuelven progresivamente incoherentes, opacos y abstractos[84]. La grave alteración de la realidad que entraña el proceso esquizofrénico, al trasmutar la persona del paciente, llega incluso a imposibilitar la identificación semiológica de las alucinaciones y de los contenidos delirantes. Ey sostiene que los cuadros «gravemente evolutivos»[85], a los que atribuye la denominación de «formas kraepelinianas», son, por la misma razón, las formas más psicóticas, más alienantes y más delirantes, aun cuando, completada su

[81] Ey, H.: «Los delirios», *Revista de Psiquiatría de Uruguay*, 1959; (140), pp. 3-42.

[82] Op. cit. en nota 46.

[83] Ey, H.: *Schizophrénie. Études cliniques et psychopathologiques,* Le Plessis-Robinson, Les empêcheurs de penser en rond, 1996, pp. 209-215. [Préface de J. Garrabé].

[84] Op. cit. en nota 83.

[85] Op. cit. en nota 48.

rápida evolución al déficit, la mayor parte de estas formas graves no se presenten con temáticas delirantes.

c) Que diagnosticar y clasificar las distintas formas del delirio crónico implica percibir su estructura diferencial. En efecto, las estructuras delirantes no son tan variadas como pretendía la escuela francesa, ni tan homogéneas como para englobar todos los delirios crónicos dentro de la enfermedad esquizofrénica[86].

Ey describe tres estructuras (o especies) dentro del «género delirante crónico». Aún aceptando la distinción tradicional entre las formas paranoicas (delirios sistematizados) y las evoluciones esquizofrénicas (aunque no en función de criterios simplistas), consideró que era necesario reconocer la existencia de una tercera estructura delirante crónica. Tras diagnosticar estructuralmente algunas evoluciones delirantes, describe el delirio crónico fantástico (reuniendo las parafrenias fantásticas y confabulantes de Kraepelin) como aquel en el que se produce un extraordinario contraste entre la irracionalidad de las creencias delirantes y el pensamiento y las conductas del paciente. El análisis positivo y diferencial de este tercer tipo de estructura delirante crónica le permite a Ey profundizar en el conocimiento de las otras dos formas de delirios, así como reconocer que estas distintas maneras de existir patológicamente pueden modificarse en su evolución, cambiando de estructura, de sentido.

4.5. Esquizofrenia

La esquizofrenia ocupó siempre un lugar central en los intereses especulativos y prácticos de Ey[87-90]; desde este punto de

[86] Op. cit. en nota 66.

[87] Op. cit. en nota 11.

[88] Ey, H.: «Les problèmes cliniques des schizophrénies», *L'Évolution Psychiatrique* , 1958; 23 (2), pp. 149-199.

[89] Ey, H.: «Unity and diversity of schizophrenia: clinical and logical analysis of the concept of schizophrenia», *American Journal of Psychiatry,* 1959; 115 (8), pp. 706-714.

vista, la situación de la enfermedad en los sistemas diagnósticos actuales merece algunas reflexiones.

a) Con el tránsito del DSM-III al IV, se dejó de insistir en los «síntomas psicóticos positivos» para referirse, progresivamente, a los síntomas «negativos», un tipo de síntomas que, al formar la parte fundamental de los períodos prodrómicos y residuales, constituye, de hecho, la semiología más «sólida» para el diagnóstico de la esquizofrenia (especialmente si se tienen en cuenta el carácter secundario y la tratabilidad de los llamados síntomas «positivos»). Esta evolución, dirigida a reconocer el fondo deficitario de la enfermedad, constituye un esbozo de los desarrollos de Ey con respecto a la relación entre los síntomas primarios y los síntomas secundarios en la esquizofrenia; un esbozo de lo que deberían ser, si se operase desde un modelo psicopatológico adecuado, los análisis psicológicos de estas formas de patología crónica. Este reconocimiento de la exigencia de una semiología estructural parece vislumbrarse en la posibilidad que se ofrece de utilizar «descriptores dimensionales alternativos»[91] para establecer los subtipos clínicos de esquizofrenia.

b) Si se adoptase una noción de esquizofrenia como la que Ey reivindica en su obra[92-94] y se procediese según el análisis clínico y lógico de la misma que presentó en el II Congreso Mundial de Psiquiatría en Zürich[95], esta enfermedad no sería dividida en su diversidad como sucede en el DSM-IV. Si bien se codifica la esquizofrenia en el eje I, las formas «esquizotípi-

[90] Ey, H.: *La notion de schizophrénie (Séminaire de Thuir),* Alençon, Desclée de Brouwer, 1977.

[91] Op. cit. en nota 2, p. 710.

[92] Ey, H.: *Les formes séudo-névrotiques de la schizophrénie selon Hoch et selon l'école française,* 1969. [Manuscrit].

[93] Op. cit. en nota 90.

[94] Op. cit. en nota 83.

[95] Op. cit. en nota 89.

cas», valoradas como «trastornos de la personalidad», se sitúan en el eje II.

c) Sin embargo, el considerar los trastornos esquizofrénicos esquizotípicos como trastornos de la personalidad es interesante desde el modelo de Ey, ya que puede constituir el inicio de una reordenación global del sistema, una reordenación que reconozca la esquizofrenia como una desorganización del sistema de la personalidad al modo en que lo entiende Ey, convirtiéndose progresivamente en una clasificación más natural. En otras palabras, una clasificación que perciba las dos dimensiones psíquicas que distingue el modelo órgano-dinámico, en el que las desorganizaciones «de la personalidad» integran otras «especies patológicas», además de los trastornos de personalidad de los sistemas actuales.

d) Por otro lado, el DSM-IV abre la posibilidad de volver a reconocer las formas de esquizofrenia simple[96], fundamento último de la síntesis kraepeliniana, que habían desaparecido de los sistemas de clasificación. Dicho de otro modo, la consideración de este trastorno «deteriorante simple» como un «cambio evidente de personalidad» puede contribuir también a concebir la enfermedad esquizofrénica como una desorganización del sistema de la personalidad.

4.6. Psicosis/neurosis

Existen dos razones para incluir esta referencia a las neurosis en el contexto de un análisis de la cuestión delirio/psicosis.

En primer lugar, Ey reitera a lo largo de su obra que el problema diagnóstico fundamental consiste en diferenciar la vida psíquica normal de la patológica, por lo que la distinción neurosis/psicosis adquiere un carácter secundario, en tanto en cuanto ambos trastornos no son sino «especies» de un mismo género

[96] Op. cit. en nota 2, p. 713.

patológico[97-98]. Al profundizar en los estudios psicopatológicos y los intentos terapéuticos, se desdibuja la diferencia establecida tradicionalmente entre neurosis/psicosis, «imponiéndose naturalmente la idea de una forma menor de enfermedad mental», la neurótica. Esto equivale a afirmar que entre salud mental y neurosis hay una diferencia mayor (ya que se trata de una diferencia cualitativa) que la existente entre una estructura neurótica y una psicosis (donde la diferencia reside tan sólo en el grado de alteración). Por eso, «la neurosis no es una defensa sana contra la psicosis, porque ya es un primer grado de caída en la psicosis»[99]. Procediendo de este modo, Ey insiste[100-103] en que, entre las diversas formas de enfermedades mentales, especialmente entre las neurosis y las psicosis, la experiencia clínica muestra la existencia de anastomosis variadas que reflejan una continuidad evolutiva. Este reconocimiento, que rechaza las clasificaciones simplistas, no significa un retorno a la idea de «monopsicosis», sino que apunta a la necesidad de analizar la evolución estructural típica de formas y de niveles.

En segundo lugar, habría que señalar que aunque la psiquiatría actual distingue adecuadamente las variaciones psíquicas normales de las patológicas y reconoce la gravedad de los trastornos neuróticos (de somatización, obsesivo-compulsivo, fóbicos), no se interesa especialmente por los análisis psicológicos. El desarrollo actual de una psiquiatría «a-psicológica», junto al rechazo del empleo del término y de los conceptos tradicionales

[97] Op. cit. en nota 63.

[98] Op. cit. en nota 62.

[99] Op. cit. en nota 63.

[100] Ey, H.: «Névroses et psychoses», *Acta Psychotherapeutica, Psychosomatica et Orthopaedagogica*, 1954; 1, 3, pp. 193-210.

[101] Ey, H.: «La noción de neurosis», *Revista de Neuro-Psiquiatría*, 1957; 20 (2), pp. 129-133.

[102] Ey, H.: «Les hallucinations dans les névroses». En: *Traité des hallucinations,* II, París, Masson, 1973, pp. 855-895.

[103] Ey, H.: «Névrose et schizophrénie», *Psychiatries,* 1979; 38, pp. 13-16.

de neurosis, parece reflejar el temor a un retorno a modelos parciales de enfermedad mental (como, por ejemplo, el psicoanalítico). Esta tendencia evolutiva podría ser modificada mediante el recurso a modelos como el órgano-dinámico, que hacen posible corregir los excesos de dichos modelos hegemónicos sin renunciar a la riqueza que sus desarrollos han aportado al saber y a la praxis psiquiátrica.

Prólogo a la primera edición (1950)

J. J. López Ibor

En psiquiatría se sufre, más intensamente que en el resto de la Medicina, la maldición babélica de la dispersión. Las escuelas y los puntos de vista florecen como las plantas en un bosque tropical. Los diversos «genios nacionales» parecen reflejarse en la producción psiquiátrica mucho más que en el resto de la producción médica. Es más fácil obtener una cierta unanimidad a propósito de la clasificación de las glucosurias, por ejemplo, que a propósito de los delirios.

Y, sin embargo, los esfuerzos de los grandes psiquiatras han tendido siempre a lograr claridad y lucidez en la interpretación de los trastornos mentales. La escuela francesa fue durante muchos años maestra tan preclara en la tarea, que toda la psiquiatría surgía de ella. Los psiquiatras españoles de fines de siglo y comienzos del presente nutrían sus bibliotecas casi exclusivamente de libros franceses. Con la aparición de Kraepelin y Bleuler los vientos dominantes cambiaron de dirección y entonces fue la psiquiatría alemana y suiza la que predominó. Simultáneamente en Francia parecía observarse no una decadencia, pero si una falta de renovación; los psiquiatras franceses parecían limitarse a un mantenimiento, sin nueva fecundación, de las tesis de sus maestros.

En los últimos tiempos esa inercia ha sido vencida y las mentes más vigorosas y audaces han dirigido sus esfuerzos a enlazar la vieja tradición clínica francesa con los resultados que, a su vez, han aportado la psicopatología y clínica alemana. Una de las mentes más destacadas en este nuevo frente es la de Henri Ey, el cual, además de proponerse la tarea anteriormente señalada, lo intenta hacer desde concepciones propias. Aplicando las tesis de Jackson a la psiquiatría ha introducido el concepto organodinámico en la enfermedad mental, tan fecundo en resultados. La enfermedad mental no es un puro epifenómeno de la enfermedad somática; por ello el análisis clínico que se dirija sólo a los aspectos somáticos de la enfermedad nunca logrará darnos una visión total y auténtica de la misma, ni mucho menos rellenar el hiato, *l'écart,* organodinámico. Frente a lo orgánico —automático en el fondo— se eleva el libre dinamismo de lo psíquico, que tiene leyes propias. La enfermedad mental, al perturbar el dinamismo psíquico, afecta a la libertad.

En este libro nos ofrece Henri Ey sus puntos de vista sobre los delirios. Constituye una brillante muestra de su estilo clínico, en el que la minuciosidad de la observación se ensambla con la metáfora brillante. Escribir *de re psychiatrica* exige unas ciertas condiciones literarias. La plasticidad de un cuadro clínico no es fácil de cuajar. Un estilo demasiado seco no es capaz de ofrecer una fiel expresión de la viva realidad del enfermo. En las descripciones de Ey existe, palpitante, un cierto *pathos* que las dota de especial vitalidad. Hemos conservado en esta edición la misma versión castellana que nos remitió, levemente corregida. En la elección tan peculiar de algunas expresiones castellanas transparece su personalidad y su especial gusto por lo español.

El libro lleva, como quinto capítulo, una bella exposición de las entrañas psicológicas del «surrealismo» que manan del «nódulo lírico» del hombre. Aunque no constituyan una lección más sobre los delirios crónicos, ejemplifican sobre otro material que el de los enfermos mentales los impulsos y fuerzas que llevan al ser humano a delirar a través de las manifestaciones artísticas surrealistas.

Henri Ey es una personalidad fuerte y vigorosa que deja su huella en todo lo que emprende, que no es poco. En sus continuos viajes a España ha sido conocido y apreciado por muchos psiquiatras españoles. Ahora, desde este prólogo, le damos, una vez más, nuestra bienvenida. Y esperamos que el lector también se la dé, complacido por su lectura.

ESTUDIOS
SOBRE LOS DELIRIOS

Henri EY

ADVERTENCIA

Cuando en la primavera de 1949 tuve el honor de ser invitado por el Consejo Superior de Investigaciones Científicas a dar en Madrid unas conferencias, estaba redactando, una vez más, el texto de las lecciones sobre los «Delirios», que desde hace mas de quince años vengo pronunciando en el Hospital de Santa Ana, de París. Consideré que a pesar de su carácter inconcluso, por así decir, embrionario, podía confiarlas al simpático auditorio de mi excelente amigo el profesor López Ibor y del ilustre profesor Marañón.

Lo que no hubiera sido mas que una especie de confidencias se transforma ahora en una publicación... Espero que los psiquiatras de lengua española juzguen con indulgencia estos ensayos y que mis colegas y alumnos franceses me perdonen el dejar imprimir en Madrid lo que hasta ahora no publiqué en París.

El problema del *delirio* constituye el tema central de la psicopatología. El espíritu del clínico está a cada instante *obsesionado* por el movimiento mismo de la «proyección», de la «ósmosis» de lo subjetivo y de lo objetivo; por el trastorno en las relaciones entre el yo y el mundo; dicho de otro modo, por el *delirio*. Desde este punto de vista el delirio se nos presenta en los obsesivos, en los ansiosos, en los melancólicos o en los esquizofrénicos. En una especial categoría de enfermos el delirio se convierte en una forma de existencia; los llamados «delirantes crónicos», plantean singularmente este problema.

Hay tres errores que deben evitarse en el estudio de los «delirios crónicos». Primero, no hay que separarlos radicalmente en cuanto a su mecanismo profundo de los estados delirantes agudos. Después, hay que evitar clasificarlos según mecanismos parciales y artificiales (ilusiones, interpretaciones, alucinaciones, imaginaciones, etc.). Finalmente, no puede colocárseles en el mismo costal, en el *caput mortuum* de la esquizofrenia.

Dicho de otro modo: si queremos encontrar la vía segura de la «proyección delirante», si queremos huir de la psicología atomística, si queremos estudiar la estructura y el movimiento evolutivo del delirio peculiar a cada una de las formas de delirios crónicos organizados, «hay que cambiar el terreno de nuestras faenas...».

Las aportaciones de la fenomenología (Jaspers) deben enlazarse con las grandes tradiciones clásicas del estudio de la evolución de los delirios (J. P. Falret, Lasègue, Magnan, Kraepelin) para permitirnos continuar y también hacer progresar la obra de los que nos precedieron.

La escuela francesa se ha formado en el riguroso estudio clínico de la evolución de los delirios crónicos. Si en un momento dado pareció detenerse en un formulismo que eclipsó su brillo, ahora, volviendo a la tradición clínica, adquiere nuevos bríos. Precisamente por ello es por lo que he querido hacer conocer a nuestros amigos de España, presentándolo en este pequeño volumen, un panorama del pensamiento psiquiátrico francés contemporáneo.

CAPÍTULO PRIMERO

CLASIFICACIÓN Y PATOGENIA DE LOS DELIRIOS CRÓNICOS

Hay en Psiquiatría una cuestión que es siempre actual, porque constituye la clave de toda la clínica de las enfermedades mentales; se trata de los delirios crónicos. Basta echar una ojeada sobre los enfermos hospitalizados en un Servicio de Psiquiatría, abierto o cerrado, para advertir que la mayor parte de ellos presentan construcciones delirantes, viven en un mundo imaginario, sufren alucinaciones y están convencidos de la realidad de sus ficciones. Son estos casos los que forman la masa de los delirios crónicos, ya que constituyen una estructura estable, por no decir inmutable, de la vida psíquica morbosa.

Naturalmente este grupo es tan heterogéneo que los psiquiatras experimentan las mayores dificultades al tratar de clasificar las diversas formas delirantes. Por otra parte, esta masa de delirios se establece según mecanismos tan diversos, que las concepciones patogénicas, aparentemente válidas en ciertos casos, no tienen ningún valor en otros. Vamos a estudiar el proceso histórico de la delimitación clínica y de la clasificación nosográfica de estos delirios crónicos y a exponer una visión de conjunto de las diversas teorías o concepciones patogénicas que se han propuesto en los últimos cien años. Finalmente, intentaremos extraer las conclusiones de nuestro trabajo, o sea, esbozar los fundamentos de una clasificación y de una concepción patogénica de los delirios que resulte más conforme con la naturaleza de las cosas, es decir, con la realidad clínica.

1.1. EVOLUCIÓN DE LAS IDEAS SOBRE LA NOSOGRAFÍA DE LOS DELIRIOS CRÓNICOS

La distinción entre «idea delirante» y «error» es el primer problema que se plantea al clínico. Ciertas diferencias aducidas son pura tautología y consisten simplemente en concebir la idea delirante como un error patológico. Kraepelin escribía en 1883 que toda idea delirante sería una representación falseada por la enfermedad. Ziehen, en 1911, habla de una forma de error patológico; mientras que en 1936, Bumke define la idea delirante como un error de causa patológica y de carácter incorregible. Este carácter de irreductibilidad ha sido enunciado por muchos autores, pero, como dijo Régis, hay errores todavía más tenaces que el delirio. Respecto al carácter de absurdo o inverosimilitud, Leuret hace cien años se expresaba: «He buscado en Charenton, en Bicetre y en La Salpetrière la idea que me pareciera más descabellada, y al compararla con muchas de las que circulan por el mundo, he visto con sorpresa y casi con rubor que no había diferencia alguna entre las mismas.» Exactamente lo mismo repetía Hoche en 1934 cuando escribió, en uno de los mejores estudios sobre las relaciones entre el delirio y la creencia, que no hay ninguna idea delirante que no pueda ser superada en su carácter absurdo por las convicciones de los individuos fanatizados, ya se trate del individuo aislado o de la masa.

En vista de que la simple comparación entre idea delirante y error no conduce a nada, se concibe que, primero J. P. Falret, uno de los más ilustres clínicos franceses, más tarde Regis y ulteriormente la escuela fenomenológica de Jaspers y Binswanger, hayan recurrido a la descripción de su estructura vivencial para distinguir el error de la idea delirante. Desde la doctrina de Esquirol sobre las monomanías, fundamentada en las viejas ideas atomísticas y sensualistas, sigue pareciendo imposible a los psiquiatras aplicar su esfuerzo al elemento idea delirante. Mas fecunda resulta la investigación sobre la unidad estructural de los delirios en tanto que modificación propia y global de la vida psíquica.

Ello nos aclarará el sentido de una *chassé croise* (entrecruzamiento, inversión de valores), de la que sorprende que nadie, que yo sepa, haya mostrado hasta ahora su enorme importancia. El término «delirio» resulta equívoco: se aplicó, en primer lugar, a un trastorno profundo y global de la vida psíquica, tal como se manifiesta en clínica en los estados de confusión y de agitación. Fue así como la palabra *delirium* se reservó a las psicosis delirantes agudas, como lo testimonian las expresiones *delirium tremens* o «delirio febril». Ahora bien: es con un sentido completamente diferente como la psiquiatría clásica, al finalizar el siglo XIX, hablaba de ideas «delirantes» o de «delirios crónicos». En esta época, el viejo sentido de la palabra delirio («delirio-estado») queda eclipsado por el nuevo sentido del delirio: «delirio-idea». En esta última acepción, que hoy es ya clásica, delirio corresponde a la palabra alemana *Wahn*. Y la idea delirante, despojada así del contexto psicopatológico que constituye la sustancia misma del delirio, se presenta en la clínica como un fenómeno aislado y parcial, como una unidad clara y precisa. Tal concepción cartesiana de la idea delirante implica una discriminación perfecta con otros fenómenos igualmente simples y precisos, a saber: las obsesiones, las ideas sobrevaloradas, las alucinaciones, etc. Tal delimitación lleva implícita numerosos problemas de índole semiológica y patogénica.

Es suficiente señalar que la idea delirante no se puede definir sino en relación con el delirio-estado para comprender a qué callejón sin salida ha abocado la psiquiatría clásica al separar cada vez más la idea delirante del estado de delirio. Hay una dificultad invencible en todo intento de separar la idea delirante del error normal; la hay también en cuanto a las diferencias artificiosas establecidas entre las diversas formas del pensamiento morboso que no pueden ser radicalmente separadas (ilusiones, alucinaciones, onirismo, fabulaciones, intuiciones, etc.).

* * *

Esta desvalorización del delirio-estado, esta desencarnación del mismo ha conducido a otro error, que consiste en definir el delirio por su contenido; es así como toda la clínica del siglo XIX tiende a separar en entidades autónomas los delirios de persecución (Lasègue, Falret, Legrand du Saulle, etc.), los delirios de influencia (Séglas), los delirios de grandeza (Foville), los delirios de negación (Cottard y Séglas)...

Ahora bien: el motivo del delirio no nos parece ser un elemento primitivo del pensamiento delirante. Tal concepto ha sido formulado por Moreau de Tours y por Clérambault en Francia, si bien en sentido diverso uno de otro. De hecho el delirio, en tanto que alteración de la realidad, supone una perturbación de toda la dinámica de las relaciones entre el Yo y el Mundo. Una primera serie de contenidos delirantes expresan la invasión del no-Yo por el Yo; es decir, la expansividad de la potencia personal dirigida hacia el Mundo y el florecimiento indefinido del deseo (megalomanía). La segunda serie temática expresa la retracción del Yo ante el peso del Mundo, de la Naturaleza y de la Sociedad, es decir, de los «otros». Esta retracción despoja al Mundo de su existencia en tanto que ésta permanece ligada a la mía: respecto al cuerpo (negación), respecto a su salud (hipocondría), respecto al pensamiento en su unidad y en su libertad (influencia y despersonalización). Y cuando, incluso el Yo, participa en su propia depreciación, surge el tema de la autoacusación expresando el último grado de esta retirada. El tema persecutorio está, por decirlo así, subyacente a este movimiento subversivo de las relaciones entre el Yo y el Mundo, y da forma a la esencia misma del conflicto, lo que explica su gran frecuencia. Así, comprenderemos que los denominados contenidos delirantes no son sino el reflejo de un trabajo de modificación profunda de la base existencial de la vida psíquica.

El delirio no es solamente la idea delirante, ni es reductible a su contenido. El tema desarrollado no es sino un reflejo, en la superficie de la conciencia, de la «ósmosis» de valores subjetivos y objetivos, de la desorganización de las relaciones entre el Yo y el Mundo, que el movimiento evolutivo de la psicosis engendra en el interior del ser. El fruto de este trabajo es el delirio.

* * *

Los estudios fundamentales de Jaspers sobre el delirio celotípico (1913) señalan una fecha importante en la evolución de las ideas sobre los delirios. Después de estos primeros análisis, la noción de experiencia delirante primaria, o *primäre Wahn,* ha obligado a toda la escuela psiquiátrica moderna (con los trabajos de Ch. Blondel, Gruhle, Kurt Schneider, Carl Schneider, Mayer-Gross, Schilder, Otto Kant, etc.) a considerar de nuevo el delirio como un «estado», como una *Bewusstheit*[1]. Esto aproxima, pues, el delirio a su sentido inicial, a saber: al de *delirium.* Pero, aun en el caso de que estos autores no hayan advertido exactamente el alcance del retorno al sentido primitivo del término «delirio», sus trabajos han presentado la estructura delirante primaria como modificación global de la vida psíquica (a lo que Moreau de Tours llamaba «hecho primordial», subrayando su parentesco con el pensamiento onírico).

* * *

Estamos, pues, tras el estudio de este entrecruzamiento de sentidos, en situación de comprender el sentido y magnitud de las discusiones nosográficas sobre la clasificación de los delirios. Volvamos a la realidad clínica, a la que nos referíamos al principio de este trabajo. Es fácil de advertir, observando el con-

[1] «Cognición», trad. castellana del profesor López Ibor.

junto de enfermos que etiquetamos como «delirantes» crónicos, que algunos parecen estar muy perturbados, más o menos cerca de la demencia, mientras que otros permanecen notablemente lúcidos y hasta muy inteligentes.

Esta división clínica, que la observación más superficial impone, ha sido el motivo de muchas discusiones acerca de la clasificación de los delirios.

El delirio del primer grupo de enfermos se presenta como la expresión de una evolución progresivamente demencial, correspondiendo al propio delirio procesal de Jaspers. Es así como a partir de la «nebulosa» primitiva de los delirios crónicos, denominada al principio del siglo XIX melancolía o lipemanía, se aisló y definió un primer grupo de delirios que llevan la clásica denominación de «delirio crónico progresivo de persecución» de Lasègue y Falret. Los caracteres con que los han descrito Magnan y Griesinger comprenden una evolución progresiva hacia el deterioro intelectual. Es lógico, pues, que esta parte de la masa delirante crónica haya entrado con Kraepelin en el grupo de la demencia paranoide de su *dementia praecox*. Y también que, a partir de Bleuler, la mayor parte de estos delirios crónicos hayan sido asimilados a las psicosis esquizofrénicas.

El resto de la masa delirante crónica ha llamado siempre la atención de los observadores por el hecho de que estos delirios no parecen conducir a una destrucción progresiva de la personalidad ni a verdaderos procesos de transformación y descomposición de la vida psíquica, sino que, por el contrario, se desarrollan como culminación de una personalidad constitucionalmente anormal o degenerada. De esta manera, frente a la «paranoia secundaria», la escuela alemana ha erigido la paranoia primitiva; frente a los delirios crónicos de Magnan, los delirios de los degenerados. Así también, frente a su demencia paranoide, ha conservado Kraepelin un sector de delirios paranoicos.

Pero la totalidad de los delirios crónicos no puede encuadrarse exactamente en estos dos grupos, a saber: delirios de evolución más o menos demencial y delirios claros y lúcidos (correspondientes a los viejos conceptos de monomanía). Los clínicos se han visto obligados a crear formas intermedias para encasillar este residuo. Tales son el grupo de las «parafrenias» de Kraepelin y el grupo de las psicosis alucinatorias crónicas y delirios de imaginación de la nosografía francesa. Señalaremos a este respecto y como entre paréntesis que la escuela francesa, caracterizada al fin del siglo pasado por una enorme preocupación por el análisis, terminó por clasificar el conjunto de los delirios crónicos según los mecanismos particulares de producción, aislados de manera artificiosa (alucinación, interpretación, imaginación, intuición). Veremos al final de este trabajo cuál es la conclusión que debemos deducir de la evolución de estos estudios nosográficos para no caer en ninguno de estos errores.

1.2. EVOLUCIÓN DE LAS IDEAS SOBRE LA PATOGENIA DE LOS DELIRIOS

Como en todos los problemas psiquiátricos, de los cuales el que nos ocupa constituye el núcleo, lo esencial de todas las teorías explicativas puede reducirse a tres concepciones patogénicas. Se puede, en efecto, tratar de comprender la eclosión del pensamiento delirante común a toda la masa de delirios crónicos por tres distintos caminos.

A saber: reducción del delirio a sus elementos semiológicos *mecánicamente* constituidos, reducción del delirio al juego de los *móviles afectivos* del error y, por último, concepción del delirio como una forma de *regresión* de la actividad psíquica a niveles inferiores.

Distinguiremos así las teorías mecanicistas, las psicogenetistas y las organodinamistas de los delirios. A continuación exponemos lo esencial de cada una de ellas.

1.2.1. Teorías mecanicistas de los delirios

Un análisis previo del delirio disocia el mismo en un cierto número de trastornos «llamados» elementales o fundamentales. Naturalmente, el análisis atomístico de fines del siglo XIX, desarrollado particularmente en Francia hasta sus últimas consecuencias, favoreció este trabajo preparatorio. En especial, el origen sensorial de la idea delirante está fundado sobre la hipótesis de la producción del delirio a favor de las alucinaciones, consideradas a su vez como resultado de una excitación mecánica de las vías o centros sensoriales.

La reducción del delirio a la aparición espontánea de una idea delirante primitiva o la reducción a mecanismos intuitivos, interpretativos o pasionales, considerados paradójicamente como «elementales», son procedimientos explicativos absolutamente semejantes. Ya se trate de las teorías de Tamburini, de Ritti o de Séglas (en la primera etapa de su carrera), ya se trate de las concepciones de Wernicke sobre la producción de las ideas autóctonas, de la doctrina de G. de Clérambault o incluso de las ideas defendidas por Bickel en 1920 o por von Mayendorf en 1925 a 27, etcétera, etcétera, se puede decir que todos estos autores han intentado explicar el conjunto delirante por la producción de fenómenos basales o elementales directamente ligados a los accidentes cerebrales.

Entre las tentativas recientes de explicaciones del mismo género señalamos la de Pavlov, que explica la génesis del delirio por un trastorno de la dinámica cortical; las concepciones de Kleist sobre las alteraciones de los centros de la actividad psíquica y de la personalidad, que este autor distribuye en sistemas longitudinales que van del tronco cerebral a la corteza frontal, y finalmente, la reducción del delirio de despersonalización a trastornos del esquema corporal, tal como se encuentra esbozada en los trabajos de Ehrenwald, de Van Bogaert y de Hècaen de estos últimos años.

Todas estas teorías, antiguas o modernas, caen evidentemente en la ilusión realista del delirio, de tal manera, que, de aceptarlas, el delirio desaparecería por completo, quedando reducido a trastornos reales de la sensibilidad o de las funciones psíquicas.

1.2.2. Concepciones psicogenetistas

Este tipo de explicación recurre a los factores afectivos del error, y desde este punto de vista podemos distinguir dos grupos: las que invocan factores afectivos conscientes y las que hacen depender el delirio de los mecanismos inconscientes. El primer grupo de trabajos se adhiere, más o menos directamente, a la teoría del origen moral, pasional o emocional del delirio, tal como la han defendido Stahl, Heinroth, Esquirol, Leuret, etc. En este grupo entran todos los trabajos psicopatológicos que señalan la importancia de la reacción frente a las situaciones vitales, entre los cuales debemos citar en especial los de Bleuler, Kehrer, Kretschmer, Claude, Lacan y la escuela americana, que ha seguido casi en su totalidad el magisterio de Adolf Meyer.

Desde este punto de vista (que a decir verdad se aplica con mayor propiedad a la paranoia), el delirio es engendrado por la situación vital o la emoción que ésta lleva consigo. El acontecimiento aparece entonces como determinante. Sin embargo, esta teoría se ve obligada a invocar casi constantemente la existencia de un estado constitucional (Kretschmer, Ewald, etc.) o de un mecanismo inconsciente más profundo (Adler), para eludir el reproche de su excesiva ingenuidad.

El descubrimiento por la psicología profunda de la dimensión del inconsciente ha permitido comprender mejor los mecanismos de proyección del delirio. Que la alucinación sea una excrecencia del instinto, como dijo Freud; que el delirio tenga un valor simbólico evidente; que se encuentren en la elaboración del pensamiento delirante los mismos procedimientos que en la del sueño; que los complejos de autopunición, los mecanismos de compensación, de desplazamiento, etc., jueguen un papel considerable en la dialéctica afectiva de los delirios, todo ello ha sido admirablemente destacado por los trabajos de la escuela psicoanalítica. Es cierto que no solamente en su concepto de los delirios, sino también en la observación de los delirantes, los psiquiatras se han dejado influir por los descubrimientos de Freud y su escuela. Sin embargo, la psicogénesis del pensamiento delirante encuentra su límite en la idea de regresión; noción que se encuentra una y otra vez, como un *leit-motiv* en los escritos psicoanalíticos, sin que los autores adviertan claramente que constituye una contradicción con toda teoría puramente psicogenetista.

Es fácil comprender, pues, que, al igual que para explicar el ensueño no es suficiente recurrir a los sistemas pulsionales simbolizados en el mismo, sino que es preciso tener en cuenta el «estado de sueño» que les da posibilidad de existencia, así también la perturbación que representa el pensamiento delirante no depende solamente del impulso afectivo que se manifiesta en el mismo, sino asimismo de la disolución del sistema energético que los contenía. El complejo afectivo en el delirio como en los sueños es el efecto y no la causa de la regresión (*«Folge statt Ursache der Wahnbildungen»,* como escribe Mayer-Gross). Esto nos conduce, casi necesariamente, a la consideración del tercer tipo de explicación.

1.2.3. Concepciones organodinamistas

Estas concepciones suponen que el mecanismo fundamental es precisamente la regresión, y por eso se interesan en especial en el estudio de la misma. Naturalmente, todas se refieren a la analogía, por no decir identidad de mecanismos, entre el sueño y el pensamiento delirante.

Como este capítulo ha sido ampliamente estudiado por nosotros en uno de los estudios que recientemente hemos publicado, no concederemos aquí al problema toda la amplitud que merece. Nos contentaremos con recordar que Moreau de Tours en Francia y Hughlings Jackson en Inglaterra, allá por los años

1850 y 1880, han sido los verdaderos precursores de esta concepción, que desde entonces no ha cesado de ganar adeptos. Así lo testimonian los trabajos de Beringer y Mayer-Gross (1925) y los de Carl Schneider (1931). Cuando Bleuler, analizando el pensamiento delirante esquizofrénico, hace depender el autismo y la *Spaltung* de una estructura disociadora primaria; cuando Kretschmer, en una perspectiva resueltamente jacksoniana, estudia el pensamiento delirante según los mecanismos hiponoicos; cuando, sobre todo, Pierre Janet, en sus últimos y admirables trabajos, demuestra que los delirios de persecución expresan la descomposición de los actos sociales del pensamiento, o cuando nosotros hacemos depender los síntomas alucinatorios de la regresión de la actividad psíquica que representa el pensamiento delirante, es fácil comprobar que no hemos cesado de referirnos a un movimiento de disolución o descomposición del pensamiento.

Naturalmente, todo lo que podamos decir sobre la identidad del delirio y del pensamiento arcaico y primitivo y del pensamiento infantil (G. Dumas, Storch, O. Kant, etcétera) se incluye en esta manera de ver. Lo mismo ocurre con los análisis que siguieron a los trabajos de Jaspers y Ch. Blondel, poniendo de relieve el hecho de que el delirio no es reductible a simples relaciones de comprensión, puesto que esta comprensión choca con la desorganización de la estructura formal del pensamiento.

Berze (en los últimos trabajos a partir de 1920), Westerterp (1924), Binswanger (1927), Kant (1927), Ewald (1927), etc., aportan una confirmación brillante a esta manera de ver.

1.3. Posición del problema del delirio crónico

Es ya hora de deducir del conjunto de las reflexiones y de la documentación aducidos las consecuencias pertinentes, tanto para la clasificación de los delirios como para sus concepciones patogénicas. En cuanto a la *clasificación,* pensamos que es el análisis estructural de la evolución de los delirios crónicos el que debe darnos un autentico criterio clínico clasificatorio. Desde este punto de vista, si queremos evitar el escollo de las síntesis excesivas que incluyen todo en la esquizofrenia, o el exceso de análisis que clasifica los tipos de delirio según mecanismos parciales o artificiales de producción, nos vemos obligados a distinguir tres tipos evolutivos fundamentales:

Primero. Los delirios crónicos que conducen a la disociación esquizofrénica, que están caracterizados por la desagregación, la *Spaltung,* la incoherencia y la evolución parademencial, por no decir demencial (formas paranoides de la esquizofrenia).

Segundo. Los delirios en los que el contraste es máximo entre el carácter fantástico de la producción delirante y la inalterabilidad del fondo mental (formas paranoides parafrénicas).

Tercero. Los delirios sistematizados que constituyen concepciones del mundo, o más bien relaciones del Yo con el Mundo, en forma de construcciones «razonantes» (formas paranoicas).

La evolución de las ideas que acabamos de trazar y que nos han conducido a las clasificaciones clásicas actuales corresponden con bastante exactitud a estos tres tipos de delirios.

La psiquiatría francesa distingue las formas paranoides de la esquizofrenia de las formas razonantes, en las cuales el delirio de interpretación de Sérieux y Capgras constituye el prototipo. Entre ambas coloca el grupo de las psicosis alucinatorias crónicas y los delirios de imaginación.

La psiquiatría kraepeliniana establecía una distinción entre las formas paranoides pertenecientes a la demencia precoz y la paranoia, y entre ambas colocaba el grupo de las parafrenias. Es, pues, sobre un firme terreno histórico sobre el que se sitúa nuestra clasificación.

En los próximos trabajos esperamos demostrar que tal ordenación se apoya en bases clínicas muy sólidas.

Las dos primeras variedades de delirios crónicos constituyen los delirios paranoides: formas delirantes esquizofrénicas y formas delirantes parafrénicas. Reservamos a los delirios sistematizados la antigua denominación de delirios paranoicos.

En lo que concierne a las *concepciones patogénicas,* las experiencias delirantes primarias de Jaspers constituyen para nosotros el «hecho primordial» de Moreau de Tours. Son éstos, estados de desorganización de la conciencia más o menos próximos al sueño. A partir de estos estados delirantes se organizan, unas veces sistematizaciones delirantes de estilo paranoico y otras proliferaciones fantásticas de estilo parafrénico. Si quisiéramos evitar la crítica que se ha venido haciendo a la doctrina de Moreau de Tours, a saber: que el pensamiento lúcido y activo de los delirantes no puede ser asimilado al pensamiento turbio y pasivo del soñador, debemos establecer un puente de unión entre el contenido antiguo del término delirio y su significación moderna, entre lo que en 1855 se llamaba «delirio» y lo que se entendía por «locura», es decir, comprender que de los estados delirantes agudos es de donde parten las construcciones delirantes crónicas. En otras palabras, para aclarar las relaciones que hay entre los sueños y el pensamiento delirante es necesario introducir otra noción: la del tiempo; el pensamiento delirante lúcido y crónico es un modo de persistencia de estados delirantes agudos. De ello deducimos la lección del famoso *chassé croissé,* que se ha instalado en el contenido mismo del concepto de delirio. El delirio, en tanto que organización durable de la personalidad o de la concepción del mundo, procede del «estado de delirio» que corresponde al término *delirium.* Si los psiquiatras han oscilado inadvertidamente entre ambas concepciones, ha sido porque corresponden a una sola y misma cosa, es decir, a la posibilidad por parte de la experiencia delirante aguda —forma fenomenológica de la conciencia perturbada y productiva— de introducirse bajo forma sistemática y fantástica dentro de la concepción lucida del mundo.

El programa de nuestros trabajos acerca de los delirios crónicos queda así trazado, y como prefacio al estudio de los mismos estudiaremos en primer lugar las psicosis delirantes agudas. Así explicamos la aparente paradoja de dedicar por entero a los estados delirantes agudos uno de los cuatro capítulos de este trabajo dedicado a la patología de los delirios crónicos. Pues consideramos, repitámoslo una vez más, que el pensamiento delirante nace de las experiencias delirantes, de los ensueños delirantes.

CAPÍTULO SEGUNDO

Las psicosis delirantes agudas

Las psicosis delirantes agudas son las «experiencias o vivencias delirantes primarias» de Jaspers, tal como se presentan en el curso de trastornos agudos de la conciencia. El término «delirio» aplicado a las psicosis agudas es una prueba de la profunda y vieja ambigüedad de la palabra, pues, como ya hemos dicho, «delirio» es una palabra que antes de ser aplicada a las concepciones delirantes era reservada para designar los *estados* delirantes agudos.

Todo ello nos advierte de las dificultades con que se tropieza al presentar un estudio sobre las psicosis delirantes, que no debe ser confundido con una descripción de las psicosis agudas en general. Se concibe, pues, que coincidiendo con los paroxismos, las crisis y las formas intermitentes de las psicosis, éstas hayan podido ser estudiadas particularmente como manifestaciones de este fondo degenerativo al cual atribuía Magnan la propiedad de la intermitencia y al que la escuela alemana contemporánea atribuye el privilegio de la atipicidad.

Recordemos en especial los trabajos de Kleist y su escuela sobre los estados crepusculares (*Dämmerzustande*) y los de Mayer-Gross sobre los estados oniroides.

Después de subrayar el carácter clásico y al mismo tiempo la relativa actualidad de esta cuestión, he aquí el plan que hemos adoptado para reducir al mínimo la dificultad que hemos puesto de relieve, a saber: la imposibilidad de separar completamente las psicosis delirantes agudas de las psicosis agudas. Dejaremos a un lado las psicosis delirantes agudas estudiadas por Magnan, y sin preocuparnos de su naturaleza degenerativa o aguda, vamos a describir las diversas vivencias delirantes agudas que constituyen en clínica los estados delirantes agudos a diferentes niveles de conciencia y con diversa estructura.

2.1. ESTRUCTURAS DIVERSAS DE LAS VIVENCIAS SUBAGUDAS

Los episodios psicóticos de los que nos ocupamos tienen una estructura y fisonomía propias, es decir, un modo de organización de la conciencia morbosa, independiente de su evolución, de su integración en un tipo definido de psicosis y de su etiología.

Estas estructuras se escalonan desde los estados estuporosos hasta los sencillos trastornos del ritmo del pensamiento o de la organización morbosa de las creencias. Dejaremos de lado los episodios estuporosos que, por definición, están casi desprovistos de toda actividad delirante y describiremos sucesivamente: los estados confuso-oníricos, los estados oniroides, los estados ansiosos, los estados de excitación maníaca, los estados alucinatorios, los estados imaginativos, los estados interpretativos, etc. Pero antes de hacer esta descripción diremos unas palabras sobre la estructura común a todos los estados delirantes agudos.

2.1.1. Estructura común de los estados delirantes agudos: las vivencias delirantes primarias

El comienzo brusco, precedido a veces por un estado de nerviosidad anormal, trastornos del sueño, efervescencia de las fases hipnagógicas, irritabilidad, trastornos del humor, inestabilidad psíquica, trastornos de la conducta, a veces agitación y desorden en la esfera del comportamiento, constituyen un conjunto de síntomas característicos de tales episodios. Los trastornos físicos, la pérdida del apetito, de la menstruación, los trastornos vasomotores, los trastornos digestivos e incluso algunos signos reveladores de una lesión neurológica, testimonian la lesión somato-psíquica que, en grado variable, constituye el substratum de tales episodios psicóticos. Sin embargo, debemos profundizar más en el análisis estructural de estos paroxismos. La organización de la conciencia en las formas típicas es muy característica. Esta se desliga de los valores de realidad para depender del trabajo delirante. Se separa de lo real hasta a veces eclipsarse, o al menos, oscurecerse. Se concentra sobre la producción morbosa, y replegada sobre sí misma, sobre el foco de su actividad interna que domina incluso a las percepciones del mundo exterior, se abandona al sortilegio de sus creaciones, y cuando es capaz todavía de percibirlo, las mezcla con lo real. Así, se construye un mundo delirante lleno de significaciones profundas, de intuiciones dramáticas, verdaderas cristalizaciones del conjunto significativo, y en ocasiones, organizado en escenas más o menos teatrales, cuyo desarrollo se actualiza en peripecias. La conciencia se vuelve espectacular, repleta de temas novelescos, de imágenes concretas, de ficciones conmovedoras. Tal es el aspecto esencial y característico de la *dramatización de la conciencia,* faceta positiva de su oscurecimiento. Otro rasgo importante de estas psicosis delirantes agudas, aunque menos constante, es el *perpetuo movimiento de progresión y regresión de la actividad psíquica.* De manera que un enfermo confuso hoy, será maníaco mañana, alucinado pasado, onírico otro día y, horas después, estuporoso. Las variaciones de nivel son características cuando existen y son altamente significativas de la estructura aguda de los trastornos. Aún pueden señalarse otras características estructurales propias de estas *experiencias delirantes primarias:*

1. *La incoercibilidad.*— La conciencia morbosa constreñida por el drama que la acosa, sujeto pasivo de un embrujo fatal del que nada puede librarla, vive completamente prisionera sin poder desprenderse de su contenido.

2. *Lo «pur vécu».*— La experiencia delirante es poco inte-

lectualizada, permanece unida a la vida y al pensamiento afectivos. A este propósito se habla de «sentimientos fundamentales» de «intuiciones inefables» que se resisten a ser reducidas a conceptos o a ser expresadas en un relato. Se trata, pues, de delirios más «vividos» que «pensados» o «hablados».

3. *El «carácter procesal».*— El delirio es un simple aspecto del trastorno generador que lo engendra, y se confunde con el mismo. Esta es, pues, la razón profunda que explica por qué el delirio-estado se distingue tan difícilmente de las formas psicóticas agudas (manía confuso-melancólica), de la misma manera que el ensueño es inseparable del cambio estructural negativo del pensamiento, es decir, del estado de sueño. Naturalmente, el conjunto de estos trastornos de la conciencia y su movimiento evolutivo varían de estructura según los diversos niveles considerados, de los cuales damos a continuación una descripción sumaria.

2.1.2. Estados oníricos

Lasègue (1881) y Régis (1894) describieron los estados oníricos típicos de la confusión mental (Delasiauve-Chaslin).

El onirismo se define desde entonces como un estado de ensueño patológico de origen generalmente toxi-infeccioso y cuya expresión clínica es una actividad alucinatoria predominantemente visual de carácter escénico, intensa y normalmente vivida por una conciencia perturbada, del cual guarda poco o ningún recuerdo.

El acceso alcohólico subagudo es el paradigma de un acceso onírico o de un *delirio onírico*. Recordemos, por ejemplo, la famosa descripción de Magnan o simplemente nuestra cotidiana experiencia. Un sujeto intoxicado se vuelve bruscamente confuso y agitado; asiste a espectáculos terroríficos; ve y vive los preparativos del cadalso, matanzas y luchas; monstruos, asaltos, fuego, sangre. Sus percepciones normales se animan y dramatizan. Esta silla se vuelve una silla eléctrica; este sombrero, una caja de explosivos; el médico, un policía; una sombra, una serpiente. La escena onírica puede realizar un verdadero espectáculo de transformación, un escenario que se desarrolla con una precipitación cinematográfica, o bien puede condensarse en una inmovilidad amenazadora, llena de inminente peligro. Los principales caracteres son:

a) *La visualización de la actividad alucinatoria.*— El ensueño es vivido en el campo perceptivo visual, ante sus ojos, bajo forma de «visiones» más o menos referidas al mundo exterior, más o menos ajustadas al campo objetivo. A veces, estas alucinaciones están coloreadas y ornamentadas. Se ordenan en peripecias o en desfiles caleidoscópicos de formas extrañas. Las imágenes pueden ser liliputienses, ordenarse en filas, sufrir metamorfosis, desplegarse en cabalgatas o cortejos pintorescos, etc.

A las alucinaciones visuales pueden asociarse alucinaciones acústico-verbales, cenestésicas, táctiles u olfativas.

b) *La trama dramática.*— Es el componente característico de estos estados, ya se trate de simples fragmentos escénicos o de aventuras más complejas. En todos ellos se advierte una especie de unidad de acción y de significación temática que, en el seno de la conciencia onírica, resuelve en peripecias cualquier acontecimiento o serie de acontecimientos.

c) *La carga emocional intensa.*— La corriente de la conciencia está como polarizada por un intenso trastorno afectivo, frecuentemente la angustia, el terror, la pantofobia. Sin embargo, como hay una especie de proporcionalidad inversa entre la emoción y el carácter estético del onirismo, sucede a menudo que la sucesión de las imágenes se transforma en una especie de éxtasis o de fascinación eufórica. Los instintos eróticos, las aspiraciones místicas organizan también el conjunto significativo que se vive y se desarrolla como una serie de aventuras de espectáculos libidinosos y lascivos, como una cabalgata celestial o como una fantasmagoría infernal.

d) *El delirio en la acción.*— Esta «realidad» alucinatoria es vivida intensamente. El sujeto se identifica con la misma a fondo, y como no duerme profundamente, asimila su conducta a la ficción-juego y se sumerge en ella, se debate en su seno como aprisionado por un encantamiento. Llega a agotar las imágenes de su sueño hasta su completa expresión. Grita, habla, se debate y es bien sabido hasta qué punto la agitación delirante forma parte del onirismo. Algunas veces, el onírico guarda una cierta distancia respecto a su sueño, lo observa curioso, como si estuviera embrujado por el, pero conservando una cierta libertad ante su juego automático.

e) *Los trastornos de la conciencia.*— Tales trastornos se caracterizan por la *confusión* y constituyen la estructura negativa del onirismo. El derrumbamiento del cuadro témporo- espacial, la dramatización de la conciencia, su oscurecimiento y confusión respecto de los diversos planos de la perspectiva psíquica, su perplejidad y la falta de capacidad de síntesis del pensamiento, caracterizan y revelan la obnubilación de la conciencia onírica.

f) *La amnesia consecutiva.*— Esta puede ser total o parcial, global o fragmentaria, permanente o transitoria. Sin embargo, en la mayor parte de los casos, pasado el acceso confuso-onírico quedan más emociones que recuerdos.

Tal es la descripción somera de la crisis confuso-onírica. Señalemos aquí que todo lo que hemos expresado a propósito del pensamiento durante el sueño, y en especial el ensueño, se aplica integralmente a este caso particular. Pero no debe olvidarse, sin embargo, que si bien la conciencia está obnubilada, no está totalmente adormecida y que por análogo que el onirismo sea al sueño, se distingue del mismo por el hecho de que el sujeto vive en aquél *con todos los recursos de su psicomotilidad conservados.*

Desde este punto de vista hay una gran diferencia entre el ensueño de un durmiente acostado en su cama, respirando apenas, paralizado de todos sus miembros, casi sordo y ciego, completamente relajado, y el delirante onírico capaz de centuplicar su ensueño al vivirlo en el plano de la acción.

2.1.3. Los estados oniroides

A partir de los estados crepusculares o histéricos y de los estados de éxtasis ampliamente estudiados por los alienistas del siglo XIX, muchos autores han emprendido la descripción de estados «semioníricos». Breuer y Freud hablan de estados hipnoides; Meynert, de *Halbstraumzustande*; Radestock, de *Traumzustande;* Ziehen, de *Dammerzustande*; Sancte de Sanctis, de *stati soghanti*.

Mayer, en 1892, intentaba separar los estados delirantes vecinos del sueño, de la «amencia» de Meynert (lo que la escuela francesa llama confusión). En Francia, la tesis de la identidad entre confusión y onirismo, gracias a los trabajos clásicos de Régis y de su escuela de Burdeos, se opone a que una categoría de estados vecinos del sueño se coloquen fuera del concepto de estado «confuso-onírico-tóxico» pero sin que en los mismos existan trastornos confusionales característicos. No obstante, las descripciones de Sérieux y Capgras (1908) sobre los estados interpretativos agudos, las de Dupré sobre «las psicosis imaginativas agudas» y las de R. Charpentier (1919) sobre «el onirismo puro» indican con bastante claridad que, si bien es imposible considerar ciertos trastornos como estados confuso-oníricos, no es menos cierto que presentan una estructura onírica. En su hermosa monografía, Mayer-Gross responde a esta exigencia, y partiendo de sus ricas y amplias observaciones, verdaderas «patografías», algunas bastante antiguas, intenta, con rara penetración, realizar un análisis fenomenológico verdaderamente exhaustivo y maravillosamente completo en sus descripciones. Quisiéramos dar aquí un bosquejo de la «comprensión» profundamente intuitiva de estos estados por dicho autor, pero limitaciones de espacio nos lo impiden.

A propósito del análisis de estos casos, define Mayer-Gross la «conciencia oniroide» como caracterizada por una fuerte corriente significativa de unificación dramática, que contrasta con la incapacidad de realizar una síntesis auténtica, así como por su concentración en un acontecimiento dramático de desarrollo inconcluso. En el curso de su estudio, Mayer-Gross se ve obligado, por las exigencias mismas de su descripción, a proporcionar argumentos teóricos aportados por la naturaleza misma de la vida psíquica que estudia, y a la cual se adhiere en virtud del esfuerzo de una *Einfühlung* obstinada y penetrante.

El estudio de la conciencia oniroide parece así inscribirse entre la descripción fenomenológica de la *Benommenheit,* torpor y atonía de la conciencia, deslizándose hacia el inconsciente y el vacío, y la *veränderte Bewusstsein,* conciencia perturbada, atravesada e infiltrada de significaciones fantásticas, pero todavía organizada y vigil. A los estados confusionales (amencia de Meynert) corresponde la *Benommenheit;* a los estados típicamente oniroides, la «conciencia alterada». Ello puede sernos suficiente para darnos una idea somera de la estructura de los estados oniroides, según Mayer-Gross.

Tratemos de penetrar ahora, con ayuda de nuestras propias observaciones, en el mundo oniroide. Este se caracteriza por una forma de conciencia imaginativa más cercana a los estados hipnagógicos que al pensamiento del sueño. Los contenidos de la conciencia se condensan en un argumento fuertemente significativo que permanece adherido a una realidad todavía percibida o presentida. La ósmosis de lo subjetivo y lo objetivo no excluye completamente a este último. El sujeto se adapta todavía a lo real; actúa y reacciona con una aparente regularidad, de tal manera que el trastorno es menos manifiesto, mas «transparente» para el observador que para el sujeto mismo, el cual permanece, en efecto, perplejo, sintiendo que el asiento lógico de lo real vacila y se le escapa. El mundo toma para él una significación trágica o cómica, que lo «tiñe» de una resonancia inacostumbrada. Cada objeto, cada personaje, se desdobla en una ficción que lo metamorfosea. Todo lo que se presenta a la conciencia está fuertemente deformado por las intuiciones dramáticas que tienden a encadenarse entre ellas y a encadenar al sujeto mismo. Así, se constituye una red significativa que cuaja a su alrededor y lo capta entre sus mallas. Lo que en el onirismo total es vivido bajo forma de espectáculo, de acontecimiento presente y directo, es aquí experimentado de una manera inminente, escondida y presentida. Los acontecimientos delirantes desarrollados bajo el decorado onírico, en el marco de una mundanidad artificial, acontece aquí entre bastidores, en la penumbra y en la sombra de la realidad. Mientras que en los sueños y en el onirismo, el cuerpo y la realidad psíquica se desvanecen e incluso llegan a ser transparentes, aquí, en los estados oniroides, figuran en la conciencia y constituyen el marco preferente de la acción mágica que se desarrolla en un mundo todavía real, aunque sin dejar de ser vivido como una alteración imaginaria del Yo: ambigüedad de esta forma de la conciencia que se «vive» como extraña a sí misma, permaneciendo al mismo tiempo idéntica a sí misma. De aquí la impresión constante de enigma, de misterio, de artificio. Por una tendencia natural del espíritu se verifica un deslizamiento hacia los grandes mitos, los cuales expresan lo catastrófico, lo inefable, lo apocalíptico y la evanescencia fantástica del Tiempo y del Mundo (Fin del Mundo, la Nada, la Resurrección, la Muerte, el Juicio Final, el Mal, el Infierno, el Infinito, etc.). De aquí también los sentimientos de artificio, de pasividad, de penetración y de influencia que expresan y asumen la semi-objetividad de los acontecimientos que se desarrollan en la confusión del Mundo y el Yo. Uno de los caracteres más típicos de estos estados oniroides es la organización posible y durable de los recuerdos del delirio, los cuales permanecen, a veces, singularmente vivaces y conmovedores. Si los acontecimientos reales concomitantes se reflejan vagos en el recuerdo, las experiencias oniroides se escriben con caracteres de fuego en la personalidad y, a menudo, dejan una huella indeleble, puesto que representan un acontecimiento vivido, y lo que es más aún un acontecimiento cargado de emoción y de misterio.

a) *El síndrome oniroide de despersonalización.*— De la conciencia oniroide brotan, como hemos visto, fantasmas que tienen como teatro y materia prima la realidad somática o psíquica. La lujuriante formación de experiencias delirantes está integrada por curiosas y extrañas transformaciones corporales, por interpretaciones de los personajes, por una especie de ósmosis interpsicológica, por la sustitución, metamorfosis y mezcla de la identidad moral y psíquica y por la intrusión fantasmal de la pluralidad en el Yo, al mismo tiempo que por distorsiones, duplicaciones y transfiguraciones de las imágenes de la persona física y moral. La extrañeza del Yo , su dislocación, su desdoblamiento y dispersión se experimentan no sólo como impresiones, sino también como etapas de acontecimientos que pueden encadenarse en una historia coherente: experiencias científicas, eróticas, de martirio, etc.

b) *Síndromes oniroides interpretativos.*— La proyección delirante se opera en el mundo exterior y particularmente en el mundo social. Las significaciones fulgurantes se infiltran en el mundo material y social y lo animan. El ambiente, la familia, el medio profesional y el vecindario constituyen focos de hostilidad donde se urden las conjuraciones. Las mascaradas, los disfraces, las alusiones, las bromas y las burlas inocentes, así como los designios más siniestros, todo ello matiza el ambiente. Los objetos, los gestos, los rostros más familiares sufren una transformación, y en sus contornos y en sus movimientos se acumulan abismos de misteriosas significaciones. Un mundo magnético duplica el mundo hasta entonces familiar y neutro. El mundo se ofrece al sujeto como un enigma, como un rompecabezas, como una charada que debe ser descifrada.

c) *Los síndromes oniroides imaginativos.*— En ellos la ficción se desarrolla sea en el pasado, en el porvenir o en el espacio más remoto. Se resuelve en novelas y florece en mil fantasías. Son ensoñaciones que juguetean con el tiempo y proliferando se entrelazan como un suntuoso trabajo de tapicería, y en las que se añaden a los prodigios y a los milagros, miríadas de imágenes maravillosas. Brotan y se despliegan en el seno de una conciencia prisionera de los sortilegios de la imaginación, haciendo del delirante un foco de fecunda e inagotable creación de formas.

Tales estados imaginativos agudos han sido especialmente estudiados por la escuela francesa, en particular por Dupré y sus alumnos.

El estado oniroide ostenta un cierto desprendimiento en comparación con la conciencia propiamente onírica. La conciencia onírica, escribe Sartre, vive cautiva, fatalmente prisionera y como encadenada a sus contenidos. La conciencia oniroide, diremos nosotros, permanece más disponible, más discursiva. Las imágenes que la constituyen forman la trama temática de un acontecimiento original, milagroso y artificial, que permanece abierto al mundo. La confusión, o si se quiere, la transparencia del mundo subjetivo, efecto de la coalescencia de lo vivido y de lo imaginado, que caracteriza los sueños y el onirismo, no es completa. Los sueños son vividos a través del soñador y éste no vive solamente los acontecimientos, sino que los vive en su mundo, en su cuerpo y en su espíritu, en la visagra viva de su existencia, guardando, sin embargo, un cierto espesor, una cierta opacidad, un cierto peso, de tal manera que estos estados pasan inadvertidos para el clínico por la razón de que no son tan profundos como los confuso-oníricos, y porque, concluida la actividad, los sueños pierden su valor y su existencia. Otra razón de la inadvertencia de estos estados reside en el hecho de que, a menudo, el médico no los conoce más que a través del relato del paciente, el cual los despoja de su estructura oniroide para presentarlos como una estructura real y lúcida. Esto no es óbice para que constituyan las experiencias delirantes más frecuentes y mas importantes en la evolución de las psicosis, en especial de los delirios crónicos, como veremos en conferencias ulteriores.

2.1.4. Los estados de tipo maníaco depresivo

Estos estados se aproximan tanto a los acabados de estudiar, sobre todo en su forma oniroide expansiva o ansiosa, que podemos describirlos con brevedad.

Los *estados de excitación,* que corresponden a la acepción general de estados maníacos, son más delirantes de lo que se afirma corrientemente. El juego, la fuga de ideas, la improvisación, la inspiración y la fabulación inconsistente, crean un espejismo oniroide, el reflejo nebuloso del mundo imaginario, y de su efervescencia exhálanse nubes de sueños. Así, Deron hace notar que cuando el enfermo se despierta se da cuenta de que, al igual que el soñador, ha sido juguete de una ilusión.

En Francia, Rouart, Bonnafé y Tosquelles han abordado el estudio de la manía según esta perspectiva, lo que les relaciona con los análisis fenomenológicos de Binswanger sobre la *Ideenflucht.*

Los estados ansiosos corresponden generalmente a una organización melancólica de la conciencia, que segrega una ficción negra macabra, hecha de sangre y lágrimas. Es una conciencia catastrófica, «una conciencia desgraciada», dividida como las de Hegel o Kierkegaard, por el dramático conflicto que desgarra a la humanidad.

Aquí el drama ya no es latente, sino actual, y dispone para su desarrollo de las más someras y trágicas imágenes: la condenación, la muerte, el crimen. Tales imágenes se organizan en la conciencia perturbada del melancólico como la «pesadilla» más auténtica.

2.2. LAS ORGANIZACIONES DELIRANTES TRANSITORIAS

Estudiamos bajo esta denominación aquellos delirios caracterizados no ya por una desorganización del campo de la conciencia, sino por un «esbozo de organización u organización frágil» en la esfera de las creencias que componen la personalidad.

Se trata, pues, de casos en que, contrariamente a aquellos que acabamos de estudiar, las «ideas» delirantes están en primer plano y parecen incluso excluir el trasfondo de perturbaciones intelectuales o afectivas comunes a los estados psicóticos agudos. La autonomía de tales formas delirantes, «puras» por decirlo así, ha provocado innumerables discusiones alrededor de la noción de *paranoia aguda*. Se comprende, en efecto, que los delirios crónicos, definidos como paranoicos, muestren una actividad delirante, en general, separada de todo trastorno de la conciencia, de la esfera intelectual y del equilibrio afectivo (por lo menos a la observación superficial).

Por el contrario, si en los estados agudos el delirio se encuentra anegado en un conjunto de trastornos, el término de paranoia aguda puede parecer contradictorio. Creado por Westphal en 1878, este concepto ha suscitado vivas discusiones entre los psiquiatras.

Sin embargo, parece hacedero aislar, con una autonomía relativa, un cierto número de casos en los cuales el delirio, aunque sistematizado, es poco duradero. Es pensando en tales organizaciones delirantes frágiles como Friedman habló de paranoia atenuada y Gaupp de paranoia abortiva. Kraepelin, en su octava edición, y Lange en el *Zeistschrift für Neurologie* (1924), han admitido igualmente esta variedad de paranoia psicógena y curable a la vez, que más tarde Lacan, en 1932, estudió con gran originalidad. A estas formas, Mlle. Petit les ha consagrado una tesis particularmente interesante (*Los delirios de persecución curables*. Tesis de París, 1927).

El delirio sensitivo de relación (*sensitive Beziehungswahn*) de Kretschmer representa el tipo más característico de estos delirios que han sido estudiados, entre nosotros, con el nombre de delirios psicasténicos, delirios de interrogación, etc. Todos ellos apuntan menos a poner de relieve la falta de auténtica calidad delirante que la inconsistencia de la personalidad de estos enfermos siempre inquietos, hiperemotivos, escrupulosos y angustiados. Sobre esta constitución psíquica se desarrolla, con motivo de una situación vital difícil, de un choque afectivo o de un conflicto ético, una actividad delirante, a menudo interpretativa, pero sobre todo alucinatoria, lo que le da el valor de una psicosis reactiva. «El delirio —dice Mlle. Petit— tiene una fórmula simple y monótona, que traduce un repertorio de ideas elementales corrientes, insertadas en la vida actual y de una verosimilitud inmediatamente familiar... Se caracterizan por el desarrollo sistemático de un drama perseguidor comprensible y por la argumentación tópica, irreductiblemente lúcida, penetrable y aun contagiosa, expresión dialéctica de una creencia delirante afectiva fundamental. Se trata de delirios con una estructura de realidad.»

A estos delirios, que constituyen el residuo mejor definido de lo que subsiste de la famosa paranoia aguda, pueden ser asimilados, en virtud de su carácter episódico, los que Mlle. Petit denomina delirios curables de estructura oniroide. En estos casos, la psicosis delirante aguda está, por así decirlo, impregnada de los trastornos de la conciencia, de elementos confusionales o maníaco-depresivos. Estos delirios oniroides, bien analizados en su estructura psicopatológica por Mayer-Gross (1924), se presentan como conjuntos escénicos muy vecinos de la producción onírica. A estos delirios oniroides, forma degradada del onirismo, deben agregarse los *delirios post-oníricos,* tan estudiados por los franceses. Estos corresponden, o a un estado delirante transitorio (delirio de evocación de Delmas, constituido por la persistencia durante cierto tiempo de una condición delirante referida a uno o varios elementos del delirio onírico), o a una forma recidivante (delirio reviviscente de Delmas o delirio de ensueño en ensueño de Klippel, o delirio en eclipse de Legrain).

Todas estas formas delirantes bien estudiadas por Delmas (los delirios post-oníricos; Congreso de Estrasburgo, 1920) representan organizaciones delirantes poco estables, y cuando éstas no son alimentadas por un proceso continuo o intermitente, pasan al estado de psicosis crónica bajo la forma de psicosis post-oníricas estudiadas por Allamagny (tesis de París, 1914).

El hecho primordial es que el *delirio de un momento tiende a convertirse en el delirio de una existencia.* Pero todos estos delirios, estas ficciones que se están organizando y construyendo, permanecen antes de su cristalización y sistematización inestables y vulnerables a la psicoterapia, a veces durante largo tiempo.

Y sin embargo, no es menos cierto que estas formas delirantes constituyen el «puente» entre las experiencias delirantes agudas, «momentos fecundos», «moldes matrices» del pensamiento delirante, correspondientes al concepto precursor de delirio, y los delirios crónicos, encarnación de la organización estable de la existencia delirante. Ello es para nosotros una noción capital de la historia natural del pensamiento delirante.

Las «ideas» delirantes nacen, pues, en los trastornos agudos de la conciencia y crecen y se organizan en el plano de la personalidad. Y el delirio se torna crónico cuando la trayectoria de la personalidad con su sistema de creencias y su sistema propio de valores se deja infiltrar y orientar por estas experiencias primitivas agudas; en este momento cesa de ser una manera de pensar para convertirse en una manera de ser, y, como decía Guiraud textualmente y en castellano, «dejan de pertenecer al dominio del *estar* para pertenecer al del *ser*».

CAPÍTULO TERCERO

Las psicosis paranoicas (los delirios crónicos sistematizados)

Con el nombre de delirios crónicos sistematizados se denominan, de acuerdo con Kraepelin, una serie de delirios caracterizados por un desarrollo insidioso, de carácter endógeno, con una evolución continua de un sistema delirante duradero e imposible de conmover, y por la conservación completa de la claridad y del orden en el pensamiento, la voluntad y la acción. Antes de definir más exactamente los caracteres de las psicosis paranoicas, precisemos, primero, que la denominación de «paranoico» ha tomado en la psiquiatría clásica y particularmente en la tradición «oral», un sentido demasiado estrecho y limitado. En efecto, tan pronto se consideran bajo el nombre de delirios paranoicos únicamente los delirios de interpretación y los delirios pasionales, como se aplica el mismo nombre a los sujetos de carácter agresivo y desagradable que presentan tendencias de reivindicación. Esto es desconocer el sentido exacto de una distinción capital entre los delirios paranoicos y los delirios paranoides. Tal distinción se impone, como hemos visto en nuestro primer capítulo, en toda observación clínica y en el sentido que el desarrollo histórico nos muestra.

En función de esta distinción natural presentaremos la descripción de la psicosis paranoica. Esta distinción, repito, es una exigencia que los antiguos autores no han eludido. La oposición del grupo delirio de persecución evolutivo, del famoso «delirio crónico progresivo», al grupo perseguidos-perseguidores, o incluso al delirio de los degenerados, esta oposición clásica bajo diversas formas permanece siendo la base histórica sobre la cual se funda la división de los delirios crónicos: los delirios paranoicos o sistematizados y los delirios paranoides o paralógicos.

Es, pues, en virtud de esta oposición como todos los rasgos característicos del grupo de la psicosis paranoica adquieren su significación.

Estos caracteres generales son:

1. Su sistematización, que es, a nuestro modo de ver, de la mayor importancia.
2. Su desarrollo coherente a partir de la personalidad.
3. Su lucidez.
4. La ausencia de demencia o disgregación de la personalidad.
5. Su irreductibilidad o, al menos, su fijeza.

* * *

Recordemos brevemente cómo se ha constituido la noción de delirio sistematizado en continuidad con el desarrollo de la personalidad.

En nuestro primer capítulo vimos que los clínicos habían dudado, en su mayoría, entre dos formas del delirio crónico: los que tienen un carácter evolutivo «procesal» en el sentido de Jaspers y que a fines del siglo pasado fueron incluídos en el cuadro de la demencia paranoide de Kraepelin, antes de formar parte del grupo más vasto de la esquizofrenia, y aquellos cuyo carácter esencial está constituido por un sistema de construcción y elaboración «razonada». Naturalmente, es a este segundo grupo al que se aplica el concepto de paranoia.

Sin embargo, como las formas alucinatorias parecen desde siempre estar más cerca de las evoluciones demenciales o esquizofrénicas, se ha creído con Kraepelin poder definir la paranoia como un delirio sistematizado «no alucinatorio». Por eso en Francia se constituyó un grupo especial con estos delirios crónicos de evolución más o menos neta hacia la disgregación de la personalidad con el nombre de «psicosis alucinatorias crónicas». Y ello porque éstas no podían ser consideradas ni dentro del cuadro de la demencia paranoide, en razón de su escasa disociación terminal, ni en el seno de la paranoia, debido a la importancia considerable de las alucinaciones. En Alemania, Kraepelin incluyó estos casos en el grupo de las parafrenias por idénticas razones. Como consecuencia de la no incorporación de los delirios alucinatorios en el grupo de la paranoia, aunque fuesen aquéllos bien sistematizados, se produjo un empobrecimiento progresivo de este concepto. Así, en Francia y en Alemania, desde hace veinte o treinta años, la paranoia no comprende sino ciertos delirios de reivindicación con ideas prevalentes, ciertos delirios pasionales, los delirios de interpretación de Sérieux y Capgras, todas las formas delirantes que parecen desarrollarse sobre un fondo constitucional paranoico hecho de desconfianza, orgullo, rigidez psíquica y falsedad del juicio. La concepción de la paranoia que presento a ustedes no admite esta limitación excesiva del grupo, pues clínicamente es evidente que una cierta clase de delirios alucinatorios deben incluirse en este grupo, en la medida en que constituyen por sí mismos verdaderos «delirios sistematizados». Es, pues, esta noción de «sistematización» la que define para nosotros la estructura paranoica, cuyo análisis vamos a emprender.

3.1. ANÁLISIS ESTRUCTURAL DE LAS PSICOSIS PARANOICAS

En esta forma de psicosis, el aspecto psicogenético es de la mayor importancia. Este hecho domina toda la estructura paranoica y la asemeja a las neurosis. La psicogénesis es tan grande y patente que parece ser para muchos autores exclusiva. En este sentido se ha intentado ahondar en los mecanismos «puramente» psíquicos de la edificación delirante, relacionándolos con el desarrollo histórico y afectivo de la personalidad (Jaspers, Kehrer, Bleuler, Lacan). Nosotros, sin embargo, atentos a destacar el condicionamiento negativo de la paranoia, como de todas las otras psicosis, distinguimos en este análisis el plan de organización estructural negativa y el plan de organización estructural positiva. Nos parece, en efecto, evidente admitir que la construcción delirante positiva depende de un cierto déficit de la organización psíquica.

3.1.1. Organización estructural negativa

Dos hechos clínicos deben ser destacados como factores primordiales, de los cuales depende, en gran parte, todo el desarrollo de la psicosis y que marcan el límite de la estructura psicogenética positiva: el desequilibrio psíquico y las experiencias delirantes primarias agudas o subagudas.

1. *El desequilibrio psíquico.*— La personalidad somatopsíquica de estos sujetos es frecuentemente de tipo degenerativo: el carácter anormal, ya sea en el sentido de la esquizoidia, ya en el de la ciclotimia. El desarrollo de las tendencias instintivas se encuentra a menudo dificultado, y estos psicópatas fijan la compleja organización afectiva en formas arcaicas y primitivas. La fijación anormal a niveles inferiores (inmadurez afectiva) del desarrollo instintivo afectivo se manifiesta en sus caracteres (timidez, complejo de inferioridad, tendencias agresivas de tipo sado-masoquista, narcisismo, susceptibilidad, fuertes inhibiciones sexuales, etc.).

A veces es la base misma de la vida afectiva la que presenta desviaciones patológicas del tono afectivo (hiperestenia, excitación pasional difusa, eretismo emocional, ansiedad). Deberíamos aquí pasar revista a todos los rasgos de las «personalidades psicopáticas» o de las «constituciones psicopatológicas», pues si lo que se denomina «constitución paranoica» predetermina a veces la psicosis ligándola, como veremos después, a disposiciones típicas, no es menos exacto que no todos los paranoicos presentan esta misma forma de desequilibrio o de predisposición. (El «temperamento sensitivo» de Kretschmer conduce a idénticos resultados).

De una manera más general podemos decir que estos sujetos presentan *anomalías* de su vida psíquica; un terreno sobre el cual se desarrolla la psicosis, sin que sea necesario admitir que la psicosis sea una simple hipertrofia de los rasgos psíquicos constitucionales.

Un hecho de particular importancia y que se impone a todos los clínicos es la noción de una tara mental degenerativa en la genealogía ascendente o descendente. Basta recordar los estudios genealógicos que han puesto desde veinticinco años de manifiesto el parentesco entre los paranoicos y los esquizofrénicos (von Economo, Hoffman, Gaupp, Kehrer, Kretschmer) y los ciclotímicos (Kolle). Mencionemos también el estudio hecho por Lange de una familia de 91 paranoicos, en los cuales observó un número bastante crecido de trastornos delirantes más o menos paranoicos en 22 de sus miembros.

2. *Las experiencias delirantes primarias.*— Frecuentemente en las fases iniciales del desarrollo, incluso, a veces, durante toda su evolución, bajo la forma de «momentos fecundos», se producen trastornos de la vida psíquica, estados, en el curso de los cuales, nace, se organiza y condensa el delirio. Estas experiencias delirantes primarias, que han sido estudiadas en la conferencia precedente, se conocen clásicamente bajo el término de «crisis» pasionales o emocionales, «estados obsesivos», «estados interpretativos agudos», «brotes delirantes», «estados ansiosos» más o menos confuso-oníricos, estados de excitación maníaca, etc. Todas ellas son de la mayor importancia para la explicación patogénica de las psicosis paranoicas.

He aquí, por ejemplo, un enfermo que se torna taciturno, que experimenta el sentimiento de una transformación profunda del mundo que le rodea y de sí mismo, al cual vemos tejer una red inextricable de sueños y realidad. Por las noches siguen las revelaciones, los sueños extravagantes de la duermevela y de los períodos hipnagógicos, experimentando sensaciones extraordinarias e impresiones inefables y misteriosas. En ocasiones se nos aparece alucinado, dado que la actividad alucinatoria representa la forma más común, la más inmediata de estas «experiencias delirantes», cualquiera que sea su forma: estados de despersonalización, estados oniroides, vértigos obsesivos auténticos, sentimientos de posesión, estados de sobreexcitación pasional con fuerte polarización afectiva, etc. Estas experiencias delirantes primarias hacen vivir los acontecimientos a la *conciencia* morbosa de tal forma que fijan y determinan la *existencia* de estos enfermos, y a partir de aquéllos se operan cristalizaciones ideoafectivas duraderas.

A menudo breves y fugaces, más raramente de una duración de días o de semanas; tales «experiencias» pueden pasar inadvertidas, sea en razón de su brevedad, o de su aparición en las fases parahípnicas, sea porque se presenten en los relatos ulteriores de los sujetos, como acontecimientos reales desprovistos del cortejo de trastornos de conciencia y de la actividad psíquica. Es esta actividad psíquica la que los condiciona en su sentido patológico, del cual el sujeto no tiene conciencia, o que incluso rechaza. Estos «momentos fecundos», verdaderos «laboratorios» de delirios, se encuentran, sin embargo, con una constancia notable si se sabe analizar minuciosamente la evolución de las psicosis. Es a ellos a los que se refiere la denominación de «pruebas cruciales», de «seudo-constantes», de «acontecimientos sensacionales». La conciencia paranoica, ávida de drama y de dialéctica en su cúspide, tiene su base impregnada del misterio y de lo inefable.

En su desarrollo, estas *données inmediates* del delirio se enriquecen de falsos recuerdos, se sobrecargan de explicaciones, se despliegan en temas pintorescos o teatrales y se organizan en sistemas de creencias y de hábitos. Pero la verdadera fuente primitiva, intuitiva e inefable del delirio, reside en esos momentos en que la disolución de las funciones psíquicas abandona al individuo al ensueño, al inconsciente y a la ficción. Es aquí donde nace, bajo la forma de «embrión lógico» (para valernos de la expresión de Clérambault), la idea prevalente, es aquí donde se organizan las actitudes y el hábito alucinatorio, las pruebas del diálogo y la cohabitación, las de la presencia extraña y del complot; es aquí donde las interpretaciones toman la esencia de su significación y, finalmente, es aquí donde la imaginación toma su vuelo hacia las fantasmagóricas creaciones.

3.1.2. Organización estructural positiva

Consideramos como caracteres esenciales positivos de las psicosis paranoicas los siguientes:

1. *La continuidad con las tendencias de la personalidad.*
2. *El tema dramático fundamental.*
3. *El desarrollo coherente de la construcción.*
4. *El substrato afectivo.*

Estos criterios constituyen la estructura progresivamente sistemática de la psicosis.

1. *La continuidad del delirio paranoico y de la personalidad. El carácter constitucional del delirio.*

Que sea el mismo sujeto, *totius subtantiae,* el que no solamente se refleje, sino que se despliegue en la psicosis, he aquí un hecho clínico de importancia primordial y reconocida. Las relaciones estrechas entre la personalidad y el sistema delirante pueden ser consideradas en sus dos perspectivas: desde un punto de vista estático y desde un punto de vista dinámico.

El punto de vista *estático* es el clásico. Consiste en destacar la coexistencia del delirio y de la constitución. Se trata de un punto de vista que denominamos estático, pues implica una superposición completa, definitiva, original y no evolutiva del delirio y del carácter: el delirio viene a ser, por así decirlo, una superestructura del carácter. Sea ello lo que fuere, los análisis que un tal punto de vista origina, son, por lo menos en parte, exactos. El delirante paranoico presenta, ciertamente, una rigidez psíquica característica (Montassut). Está concentrado, valga la expresión, sobre sí mismo, egocéntrico, paradójico, orgulloso, susceptible, desconfiado, discutidor, sofista, testarudo y antisocial. El error reside en considerarlo como un individuo en que el delirio y la personalidad pueden ser reducidos a los cuatro criterios clásicos: hipertrofia del Yo, desconfianza, falseamiento del juicio e inadaptación social, o bien en creer que es suficiente que estos rasgos del carácter estén presentes para que el delirio surja necesariamente.

El punto de vista *dinámico* comprende las relaciones de la psicosis con la personalidad de una manera bastante diferente. La personalidad (cfr. tesis de Lacan) no es reductible a algunas de sus manifestaciones supuestas originarias (confróntese nuestra crítica a la noción de constitución); en realidad se trata de una *construcción* que implica un desarrollo biográfico (el sujeto vive su historia, que una biografía puede reproducir) y que implica también una concepción de sí mismo, una cierta tensión de relaciones sociales, es decir, un cierto modo de trato querido, buscado, escogido, con sus semejantes. Desde este triple punto de vista, la psicosis está en relación con la personalidad, pues representa el resultado, la maduración de una formación personal; sin embargo, la psicosis, al igual que la personalidad, es un «devenir», una trayectoria.

Los acontecimientos, las situaciones vitales, junto con las reacciones y polarizaciones afectivas que ellas engendran, se inscriben, se estratifican en la psicosis. El paranoico construye su delirio, como construye su personalidad, en función de cierta concepción de sí mismo. La psicosis paranoica, con los mecanismos «bováricos» que afloran a su superficie, se edifica gracias a una cierta conciencia del Yo, ideal y dramática a la vez, como un modelo que el sujeto proyecta ante sí y que el delirio «realiza», mientras que el «delirante» no ha podido expresar más que una tendencia...

El paranoico, en fin, se comporta en sociedad como un individuo agresivo o dominador que se atribuye un papel de personaje potente que su delirio expresa, sostiene y defiende. Tal concepción de las relaciones de la psicosis paranoica con la personalidad se encuentra en los estudios de Bleuler y de Kretschmer. Esta manera de ver se encuentra mucho más cerca de la concepción de Sérieux y Capgras de lo que muchos autores piensan; en efecto, esta última define la psicosis paranoica típica o delirio de interpretación como una psicosis constitucional, que se desarrolla gracias a una anomalía de la personalidad, caracterizada por la hipertrofia o hiperestesia del Yo y por el déficit circunscrito de la autocrítica.

Bajo la influencia de conflictos sociales, determinados por la inadaptabilidad al medio ambiente, esta constitución psíquica anormal provoca el predominio de un complejo ideoafectivo, su persistencia y su influencia.

2. *El tema dramático fundamental. El tema de persecución.*

Uno de los caracteres más notables de estos delirios es la posibilidad de enunciar el tema principal, de definirse por una fórmula. Se les puede definir también por su contenido: delirio de persecución, delirio celotípico, etcétera. Es éste, aunque no lo parezca, uno de sus rasgos más importantes, pues, en efecto, estos delirios constituyen un sistema significativo de creencias dramáticas que es posible reducir a una fórmula. La homogeneidad, la unidad, les vienen de la condensación fundamental de una aventura que se desarrolla en escenas, acontecimientos, interpretaciones.

El delirio paranoico es un relato, una novela. Se trata de una historia cuyo interés radica en las peripecias de la lucha. El personaje central es el mismo enfermo. Su vida se despliega en una ficción en la cual la compensación, la proyección y la imaginación creadora constituyen los resortes. El drama paranoico, como la tragedia clásica, lleva en su desarrollo el sello de la unidad de acción. El drama avanza llenándose con los acontecimientos acumulados, extendiéndose y corroborándose con las experiencias vitales que el sujeto construye y vive a retazos. Más adelante veremos la analogía, por no decir identidad, entre el sistema delirante y el encadenamiento de la aventura pasional. Este lado esencialmente artístico, «literario», del delirio paranoico, ha sido bien observado por Genil-Perrin, quien ha estudiado muy particularmente el aspecto «bovárico» del paranoico. En esto se encuentra la explicación del favor de que han gozado ciertos personajes literarios de la novela, de la comedia de caracteres o de las confesiones entre los autores que han estudiado los paranoicos.

Los *temas esenciales* que constituyen las leyes del desarrollo de estos delirios han sido fijados por Sérieux y Capgras en número de siete: persecución, grandeza, celos, amor, misticismo, hipocondría, autoacusación. Pero, por variados que sean estos temas en su apariencia, todos se reducen a una sola fórmula fundamental: *el tema de persecución.*

El tema de persecución constituye la trama de la paranoia. Se le encuentra manifiesto o latente en la estructura temática de todo delirio paranoico. Para percibir la importancia del tema de persecución debemos recordar lo que es un tema delirante. Todo delirio, en cuanto alteración de la realidad, se inscribe en función de dos factores que constituyen el movimiento dialéctico de la misma: el Yo y el Mundo. Cuando los valores del Yo son los que invaden el Mundo, se desarrolla un tema de expansión megalomaníaca. El Mundo está entonces infiltrado de la potencia virtual del Yo. Cuando, por el contrario, son las fuerzas opuestas al Yo las que limitan la potencia del mismo (ya sea la «realidad objetiva», ya sea «el prójimo»), se generan los temas de depreciación. Este movimiento de reflujo, de depreciación de los valores del Yo, se expresa en temas delirantes que van desde la destrucción del Mundo hasta la destrucción del Yo pasando por la destrucción del cuerpo. El término final de esta depreciación se confunde con el de la culpabilidad moral de la autoacusación, que impone al delirante un aniquilamiento monstruoso de sus cualidades espirituales.

Se concibe, pues, que este tema de persecución sea entre todos ellos el más frecuente, pues satisface, por un lado, el deseo de potencia (basta recordar que el perseguido no es solamente una víctima, sino una «víctima augusta», para emplear la expresión de Foville), y por otro, satisface las tendencias autoacusadoras, dado que el sujeto es justamente perseguido. En la estructura paranoica, todos los delirios, comprendiendo el de grandeza, se ordenan más o menos referidos al de persecución, y el delirio paranoico expresa esencialmente la lucha trágica que sostiene el Yo contra el Mundo. Se comprende entonces que todos los otros temas permanezcan subordinados a éste, capital y sublime. El tema de grandeza no expresa más que el carácter gigantesco de la lucha; el tema de erotomanía o el de celos se basan en una frustración fundamental. Es evidente que los temas hipocondríacos, es decir, aquellos que se refieren a la deterioración física del soma, no pueden ser separados en este orden de ideas de los que expresan la deterioración moral, la despersonalización o la influencia. El tema permanece siempre idéntico a sí mismo, ya se desarrolle el drama en el mundo de los objetos, del cuerpo, del espíritu, de la naturaleza o del mundo social. Únicamente debido a la preocupación bastante singular de separar los delirios alucinatorios de los demás aspectos de la construcción temática paranoica es por lo que se ha creído poder separar los temas de influencia de los otros. Pero, repitámoslo una vez más, lo que constituye el carácter primordial o fundamental de la estructura paranoica es el hecho de constituir una trama de acontecimientos enteramente basada en las peripecias de un combate. Poco importa que éste sea vivido como una ficción, como una interpretación o como una percepción delirante.

3. *El desarrollo coherente, sistemático. La locura razonante.*

Recordemos que para Kraepelin, el sistema delirante se desarrolla «con orden y claridad». He aquí, en efecto, uno de los rasgos más impresionantes de la estructura paranoica: es el que le ha valido la denominación de locura razonante.

En su conjunto, la arquitectonia delirante paranoica se presenta de un modo coherente y firme: las diversas partes del sistema están bien encadenadas y sólidamente articuladas. Si no siempre el delirio ostenta una organización «vertebrada» (según el término de Clérambault) por lo menos se presenta en segmentos articulados a la manera de un anélido. El enfermo presenta, o por mejor decir, expone su ficción de una manera racionalizada, cerrada, organizada, deducida y preparada por entero, y, valga la expresión, «digerida».

Es en la sustancia misma de su pensamiento donde se encuentran inscritas las volutas enroscadas, pero continuas, de su delirio. El delirio es su vida, su fe, su acción. Aun exagerando el carácter de construcción racional, inductiva, silogística, de tales delirios, un hecho clínico subsiste: la calidad de *plaidoyer,* de argumentación que adopta en su expresión oral (si el enfermo no es reticente, lo que no es, ni mucho menos, lo habitual), o bien en sus numerosos escritos, memorias o panfletos (cuando el enfermo sale de su prudente reserva para hacer brillar el «resplandor de su verdad»).

Los argumentos, las pruebas, todo el arsenal de hipótesis posibles, las justificaciones, las verificaciones, los recuerdos «exactos», las estratagemas y los delitos flagrantes, todo está listo, preparado, clasificado. La demostración, incluso sobria, es contundente; es la evidencia misma que se opone, que se alega, que se defiende. «Sería yo un loco de no creer en ello», dice el paranoico. Un delirio hasta tal punto sistematizado, «demostrado» y «demostrativo», acumulando por estratificación todas las pruebas a partir de sus premisas, rigurosamente deducido en sus conclusiones, lleva consigo fatalmente la convicción entera, masiva y dogmática del sujeto. Y a veces no sólo del sujeto, sino también de su medio. No es excepcional observar una especie de inducción, de comunicación de todo el sistema «digerido» al espíritu del cónyuge, de los hijos, de la madre, de la familia. Falret insistía en ello con justa razón. La locura compartida, el delirio colectivo, se encuentran preferentemente en estos delirios sistematizados. «Se trata, decían Sérieux y Capgras, de una *psicosis persuasiva.*»

En efecto, otro aspecto, y no el de menor importancia, de esta construcción delirante es que ésta encuentra un eco en la conciencia del observador a pesar de sus postulados, sus intuiciones, sus «experiencias» agudas, o sea la base fundamental de su error. En ello debemos ver la razón de este rasgo tan característico de las reacciones recíprocas entre el paranoico y el médico. A pesar de que éste adopta la actitud de considerar los delirios paranoides con una especie de resignación, se siente incitado, frente a los delirios paranoicos, a discutirlos o en todo caso a sorprenderse de un delirio cuyos diversos componentes, cuyo encadenamiento general, se le aparece como más claro, más permeable, más «comprensible» y, por consiguiente, más refutable, en virtud de una curiosa ilusión de la cual es difícil escapar.

Como lo hemos hecho notar más arriba, hay en la psicosis paranoica un drama que permanece muy humano en su estructura. Es la comprensión directa y casi exhaustiva del delirio por el observador lo que ha valido a esta psicosis la denominación de «locura razonante» dada por la escuela francesa. Sin embargo, es por la vía afectiva antes que por la racional como esta psicosis se desarrolla, impregnada y tejida de significaciones pasionales, emotivas y temáticas. Puede comprenderse, pues, la paranoia mucho más como un poema o como una sinfonía que como un teorema. Hay, pues, aquí algo que «resuena» más que «razona».

La interpretación patológica es el modo de organización y progresión de las psicosis paranoicas. El paranoico tiene horror al azar. En aquellos aspectos de la realidad que a nosotros nos parecen vagos, insignificantes, fortuitos o baladíes, el paranoico introduce *significaciones* precisas. Incluso va más allá, y desnaturalizando el sentido de las cosas y de los acontecimientos, invierte los valores de la realidad en provecho de los elementos que exige el desarrollo de su drama delirante. Es aquí donde se halla el nudo de la «extensión» del delirio; extensión ineluctable, exigida por su misma estructura, puesto que es propio de la paranoia proyectar el conflicto moral del individuo en el mundo y la sociedad.

Todo le parece bueno al paranoico para construir y edificar su delirio. A la luz de tal foco de error, todo se modifica y se transforma: las cosas, las gentes, los gestos, las palabras. Nada permanece dentro de este orden objetivo, que se confunde con la indiferencia de la naturaleza respecto al individuo. Todo está dirigido a favor o en contra del mismo; *«él es el ombligo del mundo»*. Nada acontece sin que él sea el centro o el objetivo. Esta inferencia de un concepto erróneo a partir de una percepción exacta, que es como Dromard definió la interpretación, proporciona al paranoico un mundo y una sociedad hechos exactamente a su medida, imágenes reflejadas de su Yo.

Naturalmente, este modo interpretativo del delirio no es más que uno de los aspectos del trabajo mismo de la proyección que constituye la ley del pensamiento y del conocimiento paranoicos. Esta proyección, es decir, esta ósmosis de valores subjetivos y objetivos, se encuentra lo mismo en los mecanismos llamados imaginativos, intuitivos, como en los alucinatorios. El foco de creencias paranoicas se proyecta, en efecto, tanto en la ficción imaginada como en las experiencias perceptivas más inmediatas. Y, como vamos a ver, la paranoia se construye de acuerdo con los mecanismos de un pensamiento esencialmente afectivo.

4. *La estructura afectiva del delirio.*

El sistema de errores que representa el desarrollo del delirio no depende de una deterioración del aparato lógico. Se trata más bien de la potencia ilusional de los afectos fundamentales.

A un examen superficial se puede asimilar el trabajo del error paranoico, al de la pasión o al de un estado afectivo intenso. Pero es preciso buscar más profundamente los orígenes de la ficción.

Es en el sistema pulsional de la agresividad donde es necesario penetrar, y cuando los psicoanalistas han puesto de relieve la estructura sádico-anal del carácter paranoico, ciertamente han abordado una de las bases más fundamentales de la paranoia. La paranoia expresa, en efecto, en el plano de las peripecias delirantes de la lucha del Yo contra el Mundo, la situación arcaica, primitiva, en la cual entran en conflicto por vez primera la libido y su objeto. Las diversas estratificaciones sucesivas de este conflicto en el curso del desarrollo de la libido, según los planos del Edipo o de la homosexualidad, pueden parecer contingentes desde este punto de vista.

Lo más profundo de la estructura paranoica reside, a nuestro parecer, en la insatisfacción o frustración, cuyo juego sucesivo de imágenes paternales u objetales no constituyen más que un accidente evolutivo.

Sin embargo, es cierto que en este juego del Yo y de los Otros, las imágenes complejas más habituales, las de los objetos prohibidos o tabúes, desempeñan un papel considerable. Es así como la imagen del perseguidor e incluso la forma de las persecuciones reflejan con la mayor evidencia todas las dificultades y todas las etapas del desarrollo de la libido.

Nos contentaremos con recordar algunos de los aspectos fundamentales del simbolismo paranoico.

Los *personajes* de la ficción son perseguidores o frustradores, y representan la imagen hostil del prójimo, ya sea la del padre o allegado, ya sea simplemente la del vecino, e incluso la imagen anónima de un desconocido o de un clan. La significación persecutoria de estos personajes responde claramente al miedo o al deseo de castigo. Es por esto por lo que la imagen del padre terrible o de la madre castradora se proyectan siempre detrás de los perseguidores.

Freud ha llamado la atención sobre el hecho de que el perseguidor es a menudo del mismo sexo, como si la persecución fuese una sustitución o un disfraz de relaciones homosexuales. Esto es verdad para ciertos casos.

El *acontecimiento perseguidor,* sea que esté directamente ligado a la vida amorosa (violación, cohabitación, influencias obscenas), sea que lo esté de una manera indirecta (persecuciones, celos, prejuicios, envenenamientos, etc.), resulta profundamente simbólico de la situación erótica de los perseguidos respecto al prójimo. Ello explica que el delirio sea a la vez vivido como un martirio y como un acontecimiento hedónico que colma, no solamente el vacío de la vida, sino que satisface además las más profundas tendencias instintivas. El delirio aparece así unido a la base existencial del ser, dado que está enraizado en la esfera del deseo.

En cuanto a la *capa complexual* arcaica, que se satisface en la proyección delirante, se trata a menudo de estudios pregenitales del desarrollo de la libido, en el curso de los cuales, la unión entre sí mismo y «otra cosa» o «el prójimo», es decir, la relación de la libido con su objeto, se vive como una relación de propiedad.

Así, la persecución aparece esencialmente como la expresión de un despojo, de una frustración angustiosa, y es, en verdad, el sistema de pulsiones sádico-anal el que presenta el género más típico de estas relaciones de la libido y de la agresividad que constituyen el núcleo más profundo de la paranoia.

* * *

Para completar el estudio de la estructura paranoica será conveniente presentar sus caracteres diferenciales frente a los otros tipos de delirio crónico.

1. *Ausencia de la evolución demencial.*— Decían Sérieux y Capgras que «la evolución es indefinida por así decirlo: la

enfermedad no camina progresivamente hacia la debilidad intelectual». Aun llegados a una avanzada edad, quince o veinte años después del comienzo de la psicosis, las interpretaciones conservan la misma actividad delirante y el mismo vigor intelectual. Y añaden: «Seguramente los interpretadores no conservan todo su vigor mental». Generalmente, bajo la influencia de la edad, la facultad creadora disminuye poco a poco, las interpretaciones se hacen más raras, el círculo de las ideas se limita, su brillo palidece; el enfermo repite las mismas concepciones y se interesa menos por todo lo que no se refiere a su sistema vesánico; sus reacciones se atenúan, se adapta a la vida del asilo y deja de reclamar su salida. Lo que me parece de lo más importante en este aspecto es lo que podríamos llamar la cristalización del delirio. Esto, a nuestro juicio, es de una importancia capital para la definición del delirio paranoico, es decir, la sistematización. Un sistema, es un sistema cerrado y es precisamente cuando tenemos que habérnoslas con un delirio que en un momento dado puede estacionarse cuando nos viene al espíritu la palabra sistematización. Nada es tan característico de esta evolución paranoica o sistematizada como el valor retrospectivo que los acontecimientos fundamentales adquieren a los ojos del delirante. Tales acontecimientos, incluso si se refractan constantemente en un presente monótono, guardan siempre el valor de un pasado fulgurante. El delirio pierde en actividad progresiva lo que gana en constancia inalterable de convicción.

La ausencia de trastorno paralógico del pensamiento es un rasgo notable, pero poco conocido de la estructura paranoica. Cuando se declara que se trata de una locura razonante, o de un delirio sistematizado, se piensa en la ausencia de estos trastornos del pensamiento. En el desarrollo del delirio no se encuentra, en efecto, una desorganización de los valores racionales. La indiferencia y la impermeabilidad a las leyes de la verosimilitud, de lo posible y de lo real. Si las intuiciones paranoicas, unidas a las constelaciones ideo-afectivas basales, aparecen como datos primitivos, como bloques conviccionales de creencias erróneas, permanecen, sin embargo, como penetradas de racionalidad.

El pensamiento del paranoico, a pesar de estar hecho de errores y de ilusiones, incluso en su aspecto abusivo de conceptos oscuros o de representaciones colectivas míticas o mágicas, se mantiene dentro del cuadro de las categorías del pensamiento normal. Es imposible encontrar en el galimatías del delirio, en el tejido espeso de sus peripecias, en la acumulación de los argumentos y de «experiencias» delirantes y en sus concepciones extravagantes, la menor huella de esa elaboración paralógica, de esa producción fantástica que presiden los delirios parafrénicos que tendremos ocasión de ver. Tampoco se encuentra esa especie de juego fantasioso al cual cede el parafrénico jugando con los conceptos en un movimiento más lírico que dialéctico. En nuestro próximo capítulo veremos cómo esta actividad delirante paralógica conduce a una especie de creación de mundo imaginario que *se superpone* al de los objetos, a la noción de realidad y de sociedad, mientras que el mundo de los paranoicos, por penetrado que esté de significaciones y de intencionalidad delirante, permanece construido, puro y límpido como un cristal.

CAPÍTULO CUARTO

Las psicosis parafrénicas

Dentro del dominio de los delirios crónicos, podemos colocar (entre los estados delirantes sistematizados y coherentes del delirio paranoico y los del tipo de la disgregación esquizofrénica) un grupo de delirios que no son asimilables a una u otra de estas grandes categorías. Se trata de las *parafrenias*. Estos se caracterizan por:

1.º El carácter paralógico de su producción.

2.º La importancia del trabajo imaginativo en su elaboración.

3.º La superposición de una realidad fantástica a la realidad objetiva, sin que el delirante pierda contacto, sin embargo, con esta última.

4.º La ausencia de disgregación de la personalidad.

5.º Conservación de la capacidad intelectual.

Estos dos últimos criterios explican por qué la estructura parafrénica no pudo ser establecida y diferenciada antes de haber llegado a un perfecto conocimiento de las estructuras paranoicas y esquizofrénicas. De tal modo que solamente después de la constitución del grupo de la demencia precoz la noción de parafrenia surgió en el espíritu de Kraepelin. Sin embargo, podemos afirmar que la «historia natural» de estos delirios no está hecha todavía.

Resulta imposible, como veremos más adelante, insertar el concepto de «parafrenia» en la clasificación francesa clásica y actual, a menos de llevar a cabo una revisión profunda, pues no hay lugar para él sino dentro de los diferentes cuadros que en nuestro país llamamos psicosis alucinatoria crónica, demencia paranoide, delirio de interpretación y delirio de imaginación: Igualmente inclasificable resulta en el marco de la psiquiatría alemana, donde todo está sumergido bajo el amplio manto de la esquizofrenia.

Aquí no haremos sino dar un breve bosquejo histórico de la cuestión, seguido de un análisis estructural que necesariamente resultará de índole personal, puesto que, desde Kraepelin, nadie se ha preocupado de estudiar concienzudamente este grupo de delirios, aunque englobe del 20 al 30 por 100 de la totalidad de los delirios crónicos.

4.1. EVOLUCIÓN HISTÓRICA DE LAS IDEAS SOBRE LAS PARAFRENIAS

Recordemos que Kraepelin creó un «estado fuelle» entre la demencia paranoide y la paranoia, al que llamó parafrenia, y de qué manera, con múltiples dubitaciones, salió, entró y volvió a salir del cuadro de la demencia precoz.

Bajo el nombre de *paranoia Verblödung* describió Kraepelin las parafrenias: «Existen, dice él, casos en los cuales no son los trastornos de la afectividad o de la voluntad los que predominan, sino las construcciones delirantes. La deterioración afectiva es poco importante, aun en las fases extremas de su evolución.»

La mayor parte de estos casos pueden repartirse así, de un modo aproximado: el 40 por 100 pertenece a las formas paranoides de la demencia precoz; un pequeño número, a la paranoia, y la mayor parte, a la parafrenia. Este grupo de parafrenias, en la mente de Kraepelin irreductible a la demencia paranoide y a la paranoia, comprendía, según su concepción, cuatro formas clínicas:

a) *La parafrenia sistemática.*— La descripción de Kraepelin coincide con muchas otras debidas a autores franceses referentes a los delirios crónicos progresivos con gran actividad alucinatoria. Kraepelin insiste en la importancia de las alucinaciones y en el hecho de que la evolución, incluso larga, no llega a producir nunca una auténtica destrucción de la personalidad (*wirklicher Zerfall*). Con tanto mayor motivo no conduce nunca a un estado demencial. Se trata frecuentemente de individuos del sexo masculino, de treinta a cuarenta años de edad.

b) *La parafrenia expansiva.*— Se la encuentra principalmente en mujeres, y se caracteriza por trastornos del humor en el sentido de cierta excitación maníaca, de tal manera, que el mismo Kraepelin confiesa haber considerado durante mucho tiempo a tales enfermos como maníacos. La actividad delirante se lleva a cabo sobre contenidos religiosos, proféticos y eróticos. Los cuadros oníricos son frecuentes y la evolución no conduce a una disminución de la capacidad intelectual.

c) *La parafrenia confabulante.*— Esta forma es, según Kraepelin, más rara. El delirio está elaborado con ideas de grandeza, de mecanismo imaginativo. Con la evolución el delirio palidece (*verblass*) y pierde actividad, sin que el sujeto pierda sus facultades intelectuales.

d) *La parafrenia fantástica.*— Esta forma ha sido objeto de las mejores descripciones de Kraepelin. Insiste este autor sobre el carácter monstruoso de la producción delirante, lo absurdo de los conceptos, la megalomanía y la magnitud de las fabulaciones paramnésicas. A propósito de sus enfermos, Kraepelin observa que ciertos de ellos sufren un deterioro de sus facultades intelectuales, pero nos dice: «Conozco casos en los cuales, aun después de uno o varios decenios, a pesar de las más extrañas y fantásticas ideas, no habían llegado a presentar una verdadera confusión de ideas ni el menor grado de deterioro intelectual».

¿Cuál ha sido la evolución de esta concepción kraepeliniana en la psiquiatría de lengua alemana? Por una parte, ciertos delirios designados primitivamente como parafrénicos por

Kraepelin han resultado, tanto para él como para su alumno Wilhelm Meyer, con una cierta evolución demencial posterior; por otro lado, el concepto de demencia precoz, al ser comprendido en el de esquizofrenia, ya no exigía una exclusión de este cuadro ante los estados no demenciales. Por consiguiente, podemos fácilmente comprender el por qué de la inclusión de las parafrenias dentro de la esquizofrenia.

¿Cuál es la posición de la psiquiatría francesa clásica en lo que concierne al concepto de parafrenia? La escuela francesa distingue cuatro grupos esenciales de delirio crónico: las formas paranoides incluidas en el grupo de la esquizofrenia, cuyo paradigma es la demencia paranoide de Kraepelin; las formas paranoicas, cuyos prototipos son los delirios de interpretación y de reivindicación; los delirios de imaginación, y, finalmente, las psicosis alucinatorias crónicas. El concepto de parafrenia se halla, pues, excluido, como si no respondiera a una realidad clínica.

Nosotros consideramos indispensable un retorno a la primitiva concepción de Kraepelin, pues existe un grupo de delirios que corresponde, en esencia, a la descripción kraepeliniana. Por lo menos, en lo que nosotros consideramos esencial. Nos parece, en efecto, que, no obstante un análisis estructural insuficiente, Kraepelin ha alcanzado la intuición de una realidad clínica. Esta realidad clínica está constituida por los delirios crónicos caracterizados por la riqueza lujuriante de la imaginación y por el modo de pensamiento paralógico sin evolución demencial. Este *contraste* entre la enormidad absurda de estos delirios y la integridad, a menudo sorprendente, de la inteligencia, es, a nuestro juicio, un primer carácter decisivo. Puesto que tales delirios no pueden ser considerados ni como delirios paranoicos ni como formas de esquizofrenia, lo que hace insostenible la posición de la psiquiatría alemana. Por otra parte, dada su naturaleza, a la vez imaginativa y alucinatoria, no pueden tampoco entrar cómodamente en los patrones de la clasificación francesa.

Precisamente con el designio de introducir un poco de orden (y un orden natural) en la clasificación de los delirios crónicos es por lo que nos vemos obligados a aceptar la noción de parafrenia. Es, pues, fácil comprender que, frente a los delirios sistematizados estudiados en el capítulo precedente, delirios que constituyen el grupo de la paranoia, existen delirios no sistematizados, que son los paranoides.

Dentro de este último género cabe distinguir dos especies diferentes: los delirios esquizofrénicos y los delirios parafrénicos.

Aún hay otro aspecto de las parafrenias que merece ser destacado: hemos hecho alusión a las dudas de Kraepelin en lo que se refiere a la inclusión o exclusión de las parafrenias en el grupo de la demencia precoz. Con ocasión de investigaciones genealógicas, otros autores se han preguntado si las parafrenias no serían sintomáticas de un proceso maníacodepresivo. Dejando de lado la cuestión de saber si tales psicosis (demencia precoz o psicosis maníacodepresiva) constituyen verdaderas entidades clínicas o simplemente aspectos psicopatológIcos de procesos subyacentes, nos preguntamos si una de las características de la estructura delirante que estamos estudiando no sería la de presentarse como una construcción que, nacida a favor de un desorden psicótico cualquiera de la vida psíquica, desorganización más o menos durable y profunda, sobreviviría a la misma, de tal modo que dicho desorden fuera el punto de partida para una reconstrucción de los valores del Yo y del Mundo. Parece como si habiendo adquirido una fuerza propia, el pensamiento fantástico vivido y elaborado en las fases primitivas de una forma psicótica aguda o subaguda, el trabajo del delirio se prolongara, se alejara y profundizara como impelido por la *vis a tergo* más allá de la fase psicótica inicial. Tal es el valor especifico de *metamorfosis* que asignamos al *trabajo* parafrénico. La parafrenia debe ser considerada como un delirio surgido de un molde inicial ya extinto.

«Una metamorfosis delirante de estructura paranoide evolu-

cionado en la órbita, pero fuera del cuadro, de una psicosis abortiva», tal es nuestro concepto conforme con el sentido profundo, aunque latente, de la noción kraepeliniana primitiva, y que al mismo tiempo satisface la exigencia de los hechos. Son estos hechos precisamente los que abren una laguna imposible de colmar en nuestras clásicas clasificaciones de los delirios.

Este nuevo aspecto del concepto de parafrenia nos permitirá clasificar mejor las diversas formas que la misma comprende y aplicarlas a aquellos hechos hasta ahora dispersos y sin posible encasillado.

Podemos concebir, en efecto, que existen «reconstrucciones delirantes», metamorfosis parafrénicas que gravitan alrededor de los grandes síndromes psicopatológicos, sobrepasando sus experiencias delirantes fundamentales. Así, podemos afirmar la existencia de parafrenias postprocesales, de eflorescencias paranoides consecutivas, sea a una esquizofrenia abortada o detenida, sea a un estado maníaco, sea a una melancolía, sea incluso, como modo de terminación de un delirio hasta entonces sistematizado.

Nuestra descripción clave será la que corresponde a la eventualidad más frecuente; una construcción delirante parafrénica que ha surgido de un episodio esquizofrénico abortado.

4.2. ANÁLISIS ESTRUCTURAL DEL DELIRIO PARAFRÉNICO

La parafrenia, en tanto que elaboración delirante secundaria, admite una distinción perfecta entre los trastornos negativos que la engendran y los síntomas positivos que la constituyen, puesto que esta distinción constituye una sucesión en el tiempo, de tal manera que los positivos, o sea el delirio, aparecen casi en estado «puro» con toda su riqueza lujuriante y, por así decirlo, con toda su «libertad». Pero la estructura negativa, que ha condicionado anteriormente su desarrollo, persiste aún bajo la forma de «impronta formal» dejada por el proceso fundamental. Es decir, por discretos que sean o parezcan ser los trastornos negativos, éstos son primordiales y existen siempre, y es de ellos de los que vamos a ocuparnos en primer lugar.

4.2.1. Trastornos negativos. El pensamiento parafrénico

Consideremos dos aspectos negativos fundamentales de las parafrenias: 1.º Las secuelas del proceso fundamental. 2.º La organización delirante de la conciencia.

1.º *Secuelas del proceso fundamental.*— Como habíamos expresado y precisaremos en seguida, una parafrenia es siempre como la prolongación de un movimiento psicótico detenido. Es lo que explica, además, que los clínicos hayan incluido todo caso de parafrenia en la esquizofrenia, la manía crónica, la melancolía, etc. Se trata, sin embargo, de procesos apagados, discretos o vagamente remitentes, que dan al delirio parafrénico su marca original y que, por decirlo así, han desaparecido ya del cuadro clínico. Por eso en las parafrenias que siguen a un proceso esquizofrénico abortivo se apreciará un cierto relajamiento de asociaciones, tendencia a la incoherencia ideo-verbal, actitudes de introversión, un cierto grado de ambivalencia y de manerismo, el carácter lejano y como acolchado de la vida psíquica, un defecto de actividad, etc. Pero todos estos trastornos son apenas identificables como estructura formal, «desbordada», «sumergida» por el poderoso caudal de los contenidos delirantes.

Al igual que en la paranoia, existen, naturalmente, en el curso y en la evolución de las parafrenias *experiencias delirantes primarias,* estados primordiales de disolución de la conciencia solidarios y contemporáneos de la acción del proceso fundamental. No es raro tampoco que la historia clínica de una parafrenia presente un desarrollo ritmado por fases de experiencias delirantes primarias, verdaderos focos de fantasía. Naturalmente, son estos estados oníricos, oniroides, más o menos alucinatorios, los que en comunidad con el trabajo del inconsciente y de los sueños alimentan o ponen en marcha la ficción parafrénica.

Debemos a este respecto insistir sobre un carácter estructural que nos parece fundamental, y que es bien representativo de la actividad propia del delirio parafrénico; se trata de la orientación progresiva hacia el concepto y la fabulación junto con el alejamiento incesante de la experiencia vivida. La parafrenia pierde progresivamente su forma alucinatoria original. *El contenido delirante estalla fuera del núcleo alucinatorio primitivo; se transforma así en fabulación pura.* En tanto que el enfermo puede contener su delirio, la forma alucinatoria, especie de línea divisoria del Yo y el Prójimo, subsiste. Pero cuando el enfermo se abandona a su delirio, cuando éste le sumerge y llega a constituir su mundo y su vida, la alucinación no parece más que un detalle ornamental, una vaga experiencia pasada o una referencia ritual al pensamiento de los demás.

2.º *Modificaciones del pensamiento.*— El pensamiento parafrénico tiene una estructura especial que lo distingue de la sistematización polarizada paranoica al mismo tiempo que de la disgregación esquizofrénica. He aquí cuáles son, a mi entender, los caracteres esenciales:

a) Bipolaridad.— La vida psíquica se desarrolla según un doble registro: el de la realidad y el del delirio. El delirio está *yuxtapuesto* a la realidad. Este rasgo puede ser tan notable que ciertos enfermos tienen consciencia del carácter ficticio o, en todo caso, excepcional y fantástico del delirio. La construcción delirante está situada *sobre* la realidad y, por decirlo así, *fuera* de la misma. Se mueve fuera del espacio, a veces, fuera del tiempo o dentro del campo tan apropiado a la ficción que constituye la realidad subjetiva, el mundo, siempre misterioso, del pensamiento. Los parafrénicos pasan de uno a otro polo con gran facilidad y sin asombro. Cierto que, en la psicología normal, existe una especie de dualidad fundamental que separa lo real de lo imaginario y que es posible afirmar que vivimos oscilando entre uno y otro. Pero nosotros subordinamos éste a aquél. Es esta subordinación lo que está abolido en la parafrenia; ambos polos están en el mismo plano. El parafrénico constituye, posee y vive dos mundos diferentes. La parafrenia es una «diplopia» de la existencia.

b) La conciencia imaginante.— Es el predominio de lo subjetivo, de lo inconsciente, lo que realiza la esclavización de la conciencia por la imagen; fascinación que define, según Sartre, la llamada conciencia imaginante. Pero aquí la conciencia no está cautiva de lo irreal ni de lo fantástico, ni de las puras imágenes, tal como sucede en los sueños y estados análogos (estados oníricos, oniroides, autísticos, presbiofrénicos, etc.). En el parafrénico, la conciencia reflexiva y organizada con lucidez y claridad refleja lo fantástico y se liga a este reflejo, lo cultiva, lo profundiza, lo enriquece con toda la masa de operaciones dialécticas de que es capaz. Es un ensueño acrecentado y desarrollado por todo el poder creador de que la conciencia es capaz. Es un sueño multiplicado por el poder creador del pensamiento vigil. También el aspecto imaginativo de estos delirios está en primer plano de su estructura. El parafrénico es comparable en cierto modo a un soñador, o mejor aún, a un poeta que creyese en sus ficciones y las considerase como un mundo, como uno de sus dos Mundos.

c) La pasividad respecto a la producción delirante.— El delirio brota automáticamente, como de una fuente inagotable, de lo inconsciente, es decir, asciende de las capas inferiores del pensamiento, cuya liberación «constituye la esencia de la psicosis». Así, se encuentran en libertad esas fuerzas imaginativas, esos fantasmas del pensamiento, que éste, cuando es normal, mantiene y reprime. La ficción surge *oponiéndose* a la conciencia, *situándose* fuera del Yo. De ahí que estos delirios sean vividos primero y pensados después, de acuerdo con la fórmula alucinatoria fundamental como un espectáculo, como un film, como una novela, como un relato, cuyos genios creadores, cuyos actores, personajes y peripecias se sitúan fuera del Yo, en una atmósfera fantástica, artificial o milagrosa. La forma del delirio se resiente de ese carácter estructural, es lírica, pero su lirismo, o su estética, confundiéndose con la fuerza misma de la existencia del delirante, nos permite decir que si el artista hace lo maravilloso, él *es* maravilloso.

d) La organización paralógica del delirio.— El delirio constituye un núcleo. Naturalmente, no está separado del resto de la personalidad, pero constituye uno de sus dos polos fundamentales. Es en este sentido como podemos hablar de una especie de enquistamiento o yuxtaposición del pensamiento paralógico en relación con el pensamiento coexistente en condiciones normales.

La fabulación lujuriante que se desarrolla en una atmósfera de sueños revela un trabajo del pensamiento que elabora (sin referencia a la armadura lógica) sus intuiciones, sus imágenes, sus construcciones. La atmósfera del delirio, atmósfera vertiginosa, extraña, que desconcierta al observador, está ligada a profundas modificaciones de la dialéctica, a un desorden que altera la marcha lógica del pensamiento. No hay enfermos que sean más «lejanos», «más arcaicos», más «impenetrables» que éstos de que hablamos. Lo que choca, en efecto, en estos delirios es su *impenetrabilidad,* la que es debida a la ruptura de los lazos de comprensión entre psicosis y actividad racional. El análisis que Ch. Blondel lleva a cabo en su libro *La conscience morbide* se aplica perfectamente a estos casos.

Se comprende entonces por qué estos delirios han sido escogidos (bajo denominaciones diferentes) como tema de estudio del pensamiento arcaico psicopatológico (Tanzi, Blondel, Storch, Schilder, Ramos, Lévy-Valensi, Dumas).

El pensamiento del delirante paranoide tipo parafrénico es muy vecino del pensamiento esquizofrénico y del pensamiento de los sueños; pero no presenta ni la dislocación de las funciones psíquicas ni el oscurecimiento del campo de la conciencia. El pensamiento parafrénico es paradójicamente claro, pero desorganizado en su estructura, como si su carácter fantástico hubiera sido llevado a sus últimas consecuencias por las fuerzas mismas puestas a su servicio. En estos delirios se encuentra de nuevo la impermeabilidad a la experiencia y a la ley de participación tan característica del pensamiento «primitivo». Es decir, que, de una parte, la ficción permanece indiferente a las reglas de la similitud o del acuerdo entre los datos empíricos, y de otra, el encadenamiento ideológico ya no se hace utilizando conceptos recortados en función de las categorías de causalidad, identidad o contradicción.

Las intuiciones concretas del pensamiento se aglutinan según las leyes del *pensamiento mágico,* esencialmente sincretista, afectivo y subjetivo. Los procedimientos de encantamiento, las metáforas, las identificaciones abusivas, constituyen otros tantos modos del conocimiento parafrénico, cuya ley fundamental continúa siendo la proyección del principio del placer sobre la organización misma de la realidad.

4.2.2. Trastornos positivos. El delirio parafrénico

El delirio parafrénico lleva el sello de la extravagancia. Es una ficción fantasmagórica, es esencialmente y bajo todas sus formas un delirio *fantástico.* Mientras que en la paranoia el delirio todavía mantenido, canalizado en el cuadro de las representaciones lógicas, es «relatable», reductible a un argumento relativamente coherente. Mientras que el tema persecutorio, como ya hemos subrayado, juega un papel fundamental en la estructura de los delirios sistematizados, en los que nos ocupan es la *dimensión megalomaníaca* la que constituye una especie de medida común de las diversas formas parafrénicas. Lo fantástico, alcanzando proporciones grandiosas, diluye la personalidad hasta hacerla coincidir con el infinito. Toda la realidad se dilata hasta alcanzar una gigante magnitud en los acontecimientos, en las cosas, en las palabras; sufre una especie de transustanciación estética y mágica a la vez.

Este carácter fantástico depende esencialmente de la forma de pensamiento propio a la parafrenia que hemos analizado poco ha: producción paralógica con facultades intelectuales casi intactas; de aquí el contraste máximo existente entre la construcción fantástica y las posibilidades del pensamiento normal. El delirio está casi siempre constituido por relatos prolijos, a veces vertiginosos en velocidad y riqueza. Hay una acumulación increíble de detalles, de escenas, de falsos recuerdos, de imágenes de este flujo delirante que se despliega en visiones maravillosas de seres de la Naturaleza y del Universo, o en un desarrollo grandioso de acontecimientos extrañamente cósmicos.

La imaginación creadora los erige en cuadros circunstanciados, caleidoscópicos, prodigiosamente inextricables. Los enfermos se confunden en el seno de una «suprarrealidad» milagrosa: han visitado la luna, penetrado en un subterráneo cuyos jardines innumerables florecían; han asistido a combates sangrientos en el fondo de los mares; han construido los pilares de la bóveda celeste; han sido visitados por un millón de obispos. Están en comunicación con el sol y los peces del Océano; observan los temblores de tierra, reclaman protección contra las galerías que los aviones perforan en el espacio, etc. Tales son algunos ejemplos de fantasías en las que el delirio toma forma.

No se trata de reducir el delirio a uno o varios de sus temas. Todo es susceptible de convertirse en tema de divagaciones fantásticas. Sin embargo, ciertas imágenes forman el cañamazo privilegiado de sus fabulaciones. Por ejemplo, las teorías cosmogónicas, los mitos de la Creación, las concepciones astronómicas o astrológicas, que juegan con los mundos planetarios, el sol, los elementos, etc., de un modo muy semejante a esas divagaciones seudocientíficas en las que las infraestructuras metafísicas de las ciencias biológicas, e incluso físicas o matemáticas, se explotan para la construcción de doctrinas abstractas que mezclan los más extravagantes conceptos. El vocabulario científico encubre entonces una red pedantesca de puro charlatanismo, una exuberancia ideológica vacía de todo contenido.

Otro centro de atracción del pensamiento parafrénico lo constituye la compleja imaginación sexual. Recuerden el cuadro de Jerónimo Bosch, donde lo fantástico toma formas orgánicas; eclosiones embrionarias, monstruosidades anatómicas, imágenes obscenas y escatológicas de formas florales y humanas, sexualizaciones grotescas, acoplamientos teratológicos, toda una profusión de germinaciones animales, huevos, receptáculos uterinos que transforman la Naturaleza en una vasta y prodigiosa proliferación visceral. De este mismo tipo de inspiración arranca a menudo el pensamiento parafrénico recogiendo por su cuenta todos los mitos infantiles y arcaicos de la génesis de los seres vivientes, de la organización del mundo y de la cosmogonía del organismo. Las fabulosas fecundidades, la simbolización erótica de las formas de la Naturaleza, los acoplamientos monstruosos, la erotización de las funciones digestivas, del sistema nervioso, de la voz, del corazón, tales son los aspectos temáticos más habituales de esta forma de creación delirante, sentida vagamente como un eterno y maravilloso alumbramiento. Encontrarán ustedes en el libro de Storch y en la tesis de Balvet observaciones interesantes sobre estos aspectos del trabajo delirante.

La descripción de tales delirios es casi imposible; hasta tal punto muestran extraordinaria riqueza en la invención, y el psiquiatra se halla ampliamente sobrepasado en este dominio por la fertilidad increíble de la imaginación parafrénica, que desborda incluso las fuentes mismas de los sueños, el mito y la poesía.

Así, se constituye una masa delirante en progreso continuo o, a veces, estacionaria. La fórmula se resume en una palabra: *lo fantástico.* ¿Qué es lo que esto quiere decir? Lo fantástico es lo «irreal» para el pensamiento normal: es lo que no existe y que incluso no puede existir. Es para el parafrénico lo que es.

Pero la «existencia» conferida a lo fantástico es en sí misma extraña, es un modo de existir fuera del tiempo y del espacio o, por lo menos, fuera de sus representaciones intuitivas habituales. A veces se le asigna una existencia puramente abstracta, y otras, por el contrario, la existencia reducida y confinada a una imagen, a un lazo más o menos misterioso, permanece encadenada en sus contornos y casi desvaneciente. Todo es, pues, fantástico, la forma, el cuadro del delirio, sus peripecias, sus personajes y el lenguaje mismo que lo expresa. El delirio oscila siempre entre las dos formas de lo fantástico: lo barroco y el mito. A veces toma la forma de lo barroco, de lo abracadabrante en sus representaciones plásticas, en sus relatos a partir de los elementos de la realidad concreta o abstracta, y esto realiza el aspecto propiamente monstruoso de lo fantástico. Otras veces se abisma en fantasmagorías representativas y teóricas hasta alcanzar y sobrepasar el fondo mitológico que todos poseemos. El trabajo parafrénico ahonda, en efecto, hasta producir las fantasías más maravillosas, fabulosas y vertiginosas del núcleo lírico de la humanidad. De ahí el carácter tan conmovedor, cautivante, de estos delirios, que llegan al corazón de la humanidad entera, que hablan a esa necesidad de lo maravilloso que asegura en nosotros la validez de sus imágenes comparables a la metáfora en el sentido de que constituyen una turbadora y vertiginosa intuición del «mundo visto por dentro», del mundo sondeado en las profundidades abisales del Inconsciente, de los Instintos, de la Vida.

CAPÍTULO QUINTO

El surrealismo y los delirios

Lo esencial de mi actividad consiste en definir la psiquiatría como ciencia médica y antropología al mismo tiempo. Pero, como decía Max Simon hace ya cien años, la mayor parte de los que escriben acerca de la locura no dejan de estudiar sus relaciones con el arte. El problema de los valores espirituales del hombre se equipara al de los mismos límites de la psiquiatría. Debo advertir que yo he tratado este asunto en un sentido diferente del generalmente adoptado. No hay que esperar que yo declare que los surrealistas sean locos; incluso aunque los enfermos sean, en un cierto sentido surrealistas, es lo contrario lo que quiero demostrar.

Ningún psiquiatra digno de este nombre ha dejado de experimentar, en contacto con la locura, esa embriaguez sutil que únicamente la inversión genial de la realidad de un prestidigitador, de un Pirandello, de un poeta, de Picasso o de un acróbata, puede suscitar en nosotros, cuando se desarrolla la deliciosa angustia que nos advierte al mismo tiempo del peligro y del placer de lo maravilloso, de la proximidad de un absoluto de belleza que nos paraliza el aliento e inmoviliza los miembros. ¿Y qué psiquiatra, qué hombre-psiquiatra abierto al lirismo de lo fantástico y de lo sensible, a la poesía del maravilloso delirio que da el ser al mismo tiempo, a la locura y a la psiquiatría, puede impedir que se eleve en él el eco y el reflejo de una obra poética cuando se encuentra ante las formas por primera y única vez diseñadas de un dibujo de André Masson, o de los plásticos misterios de Max Ernst? Porque éste es el nuevo vicio, hijo del frenesí y de la oscuridad, el surrealismo, tan sutil, tan embriagador y tan malicioso que nos juega la suprema broma mediante la contracción elíptica y creadora de su movimiento, al presentarse como una nueva forma de arte, siendo así que él toca la misma esencia de lo estético, es decir, lo que en todo tiempo *ha hurgado a los hombres las entrañas: lo irreal,* lo antirreal o, si se quiere, lo antinatural: la columna del templo, una sinfonía o incluso, cuando ella es «bella», una fotografía...

Es decir, que la seducción que ejerce el arte en general nunca es más tiránica e invencible que cuando lo hace bajo la forma del embrujo surrealista. Solamente el prejuicio, la ingenuidad o el mistificador miedo de la mistificación (esta desconfianza, simple revés de un atractivo vertiginoso) puede alejar de un placer al que únicamente es preciso saber abandonarse. En cuanto a mí, yo me he encontrado siempre dispuesto para él y por él vulnerable. Así, pues, yo no abordaré el estudio de la inmensa aporía que coloca al surrealismo ante la psiquiatría, sino con las ideas y sentimientos que me nacen de la simpatía y afinidad que yo experimento tanto para el uno como para la otra.

Por razones materiales yo no puedo presentar ilustraciones de lo esencial de la estética surrealista. Me bastará simplemente con decir que el carácter propio de la obra surrealista es proyectar lo imaginario contra lo real, bombardeándolo hasta quebrantar la misma estructura de la realidad y hacer trasparentar bajo o sobre los objetos, que han llegado a ser simples apariencias, el fantasma erigido en sobrerrealidad. El antirracionalismo, el antirrealismo, la búsqueda sistemática de la poesía del absurdo, de los encuentros automáticos entre palabras y formas, el humor negro y la subversión constituyen los caracteres más típicos de estas formas estéticas.

Veremos ahora cómo aparecen las producciones psicopatológicas a las que debemos compararlas.

5.1. La producción estética psicopatológica

Dejaremos de lado *los garabatos y modulaciones estereotipadas y los juegos decorativos* para ocuparnos en primer lugar de las *figuraciones descriptivas o narrativas:* aquí se trata de dibujos, cuadros o también de narraciones y poemas. Motivos del rostro, del cuerpo humano, conglomerados de varias fisonomías o de diversas fases de una melodía mímica con muecas ambiguas. Masas humanas mutiladas, figuras dispuestas como flores sobre la rama de un árbol, escenas de la vida cotidiana *cum grano salis*: el del humor fantástico, que introduce un asno sentado a la mesa familiar, un escorpión en la taza de té. Multitud innúmera de cabezas redondas o de brazos alzados, paisajes desérticos y solamente poblados con una densa profusión de vehículos o de árboles reunidos en una esquina. Trajes históricos, alegóricos o legendarios, personajes simétricos o contrapuestos, ambiguos o confundidos o hechizados. Conjuntos significativos inscritos concéntricamente en torno de un tema místico o erótico, de un recuerdo, inmovilizados en un instante de estupor o de frenesí. La actividad literaria o poética que corresponde a esta formación expresiva constituye la sustancia de las descripciones humorísticas o trágicas del ambiente, de las narraciones de la vida cotidiana presente o de los recuerdos del pasado. Se despliega en prosas grotescas, ricas en inspiración y fantasía, construidas como panfletos o sátiras. Otras veces se trata de textos versificados en forma de sonetos, salmos, canciones realistas o *negro spirituals.* En todas estas producciones se revela el deseo de reproducir un aspecto sagrado de la realidad, un hecho privilegiado, de narrarlo o de cantarlo en un tono de originalidad propia, ya cómica, ya dramática, pero siempre fijada en imágenes barrocas. Las imágenes infantiles, el recuerdo de obras literarias o plásticas conocidas, la invención burlesca o patética, concurren en la producción de estas escenas, trozos de vida que tienen un regusto a muerte y de las cuales se halla generalmente proscrito todo naturalismo.

También estudiaremos las *imágenes fantásticas,* que se materializan igualmente en la escultura, la pintura o la poesía. Como es natural, resultan más emocionantes en sus formas plástico-pictóricas. Se trata entonces de configuraciones fantásticas plasmadas entre los contornos de un dibujo o de una masa coloreada, que alcanza un aspecto fantasmal de fulgurante valor emotivo. De un modo irresistible, una producción estética de este género hace pensar en una escena de ensueño y, efectivamente, se trata con frecuencia de algo vivido onírico o alucinatorio, cuyo valor lírico se ha estilizado y concretado en una figuración solemne, hermética y privilegiada. Y es que tales obras son, por decir así, joyas cinceladas en la sustancia poética, joyas únicas e infinitamente preciosas.

La producción literaria abunda tanto en imágenes fantásticas de este género, que renuncio a dar ejemplos, de todos conocidos. Haré constar tan sólo que la obra fantástica queda las más de las veces como prisionera de aquel flujo verbal y mágico que nosotros denominamos delirio, fuente perenne de poesía. ¡Cuántas veces no hemos sido conmovidos y traspasados por la refulgencia estética que se desprende de estas producciones, no solamente plásticas, sino verbales!

Por fin, hay las *grandes composiciones simbólicas.* Me encuentro, al llegar a este punto, sin ánimos e incapaz de describir el carácter grandioso y misterioso de estos dibujos, de estas acuarelas, de estos óleos o de estas grandes producciones literarias que reflejan la concepción del mundo delirante. ¿Cómo poder describir este mundo de imágenes donde cada fragmento contiene un ala del «Jardín de las delicias», de Bosco? ¿Cómo describir esta metamorfosis, estas alegorías, estos mitos, a través de los paisajes, las arquitecturas, del cosmos, de la carne, del cuerpo y de los órganos? Uno se siente deslumbrado por la magia de estas creaciones, de esta historia abierta como un cadáver y que muestra sus símbolos transparentes, reservándose, sin embargo, abismos de herméticos misterios. Contemplad «el reverso del mundo» dibujado con lápices de colores por aquel extraño Joseph Sell, cuya historia clínica es contada por Prinzhorn, y decidme si no es todo un Universo el que allí se refleja. Aquí, como más adelante veremos, la obra forma de tal modo cuerpo con el delirio, que se halla, por así decir, volatilizada en la concepción delirante del mundo.

5.2. VALOR PSICOPATOLÓGICO DE ESTAS PRODUCCIONES. LAS RELACIONES DE LA PRODUCCIÓN Y DE LA PERSONALIDAD DEL ENFERMO

Nuestro estudio descriptivo de las producciones estéticas de nuestros enfermos no ha alcanzado aún su verdadero objetivo, constituido *por los lazos que unen la producción estética a la locura*. La ley del todo o nada, aquí como en otros lugares, no llegaría a satisfacernos, y conviene penetrar hasta el corazón mismo de un análisis fenomenológico, hasta el punto donde se engendra, nace y se desarrolla la producción estética hasta la fuente viva de su inspiración.

Si algunas producciones son formas estéticas yuxtapuestas, es decir, no se hallan directamente vinculadas a los trastornos mentales, otras obras constituyen formas estéticas, únicamente modificadas por la enfermedad, y hay una tercera modalidad de relaciones, que unen la producción al artista psicópata. Este es el caso de las formas estéticas de proyección morbosa.

Tales producciones son de un simbolismo consciente, en tanto que el enfermo conoce el sentido de la metáfora que ellas realizan, mas el mecanismo de su proyección permanece inconsciente, en cuanto borra los límites de la subjetividad y de la objetividad, es decir, lo imaginario tiende a ser vivido como real, el arte y el mundo tienden a identificarse entre sí. El enfermo no percibe sino abandonándose a la floración de la obra, obedece menos al deseo de presentarla o de representársela que al de vivirla. Damos así un paso más en esta dialéctica de las relaciones entre la obra y su autor psicópata; la producción sigue siendo aún un artificio: es un cuadro que se puede enmarcar, es un poema que se puede publicar en un libro, algo frente a lo cual se adopta una cierta distancia y de lo cual se halla uno separado por un espesor de objetividad. Pero también es ya un sistema de imágenes, que no solamente se halla adherido al Yo por su origen, sino que permanece fijado a él como un trozo viviente suyo, encadenado al mismo por un lazo, un cordón umbilical.

Esta adherencia de la obra a la persona es aún más profunda y manifiesta en aquella categoría de producciones que designaremos como formas estéticas inmanentes al delirio. Aquí la producción no es sino un aspecto de la psicosis, sin más valor estético, moral o intelectual que la psicosis misma. De suerte que el hecho de que el enfermo dibuje, escriba o pinte, o que, por el contrario, se contente con hablar o soñar, no pone ni quita nada a la esencia estética del delirio; el hombre se ha metamorfoseado en poesía. *Se ha convertido en «objeto estético».*

Mas para comprender bien el sentido exacto de esta fórmula de extraña apariencia es importante, en primer lugar, distinguir bien dos aspectos fundamentales de la psicosis, distinción de la cual he hecho una de las piedras angulares de mi concepción psiquiátrica.

En efecto, mientras el enfermo se halla sumergido en un sueño o en una de aquellas modalidades de ensueño que son las experiencias delirantes primarias, correspondientes a diversos niveles de disolución de la actividad psíquica, se encuentra cautivo de su ensueño. Es al mismo tiempo autor y espectador del mismo. Este flujo imaginario que es él, que vive él, se halla justamente lo suficientemente alejado de él para que lo aperciba, y en esta estructura el mundo alucinatorio consigue apenas destacarse lo suficiente para poderse constituir. Es precisamente esta raíz común, mas bífida, de la persona y de la ficción, lo esencial en la alucinación, aquello que hace que algo que viene de mí se coloque ante mí.

En tanto que el enfermo no vive la ficción inmediatamente y en la organización actual de su campo de conciencia, la lleva dentro de sí, como fuente inextinguible de inspiración y maravillas. Ha pasado a la organización de su personalidad, es decir, a la trayectoria de sus virtualidades, a su ideal de sí mismo. La ficción se destaca aquí del movimiento automático y espontáneo que la ha engendrado, o, mejor dicho, le sobrevive, mas confundida entonces, no ya con la estructura de la realidad presente, sino con la estructura de toda realidad posible.

Las producciones estéticas que forman cuerpo con las psicosis pueden afectar dos modalidades distintas: la de una producción estética automática y la de una producción estética reflexiva, pero reflexiva en el delirio.

La emanación patológica, inmediatamente vivida, es rigurosamente idéntica al grado de la producción estética del ensueño. Es bella como un ensueño, es decir, como un objeto de la Naturaleza.

La producción poética o plástica reflexiva nos aproxima más al arte, en el sentido de que la unión profunda que une la persona al arte no es ya inmediata, sino que se retrae en el sistema del mundo. Aquí, sin embargo, este sistema del mundo es delirante, es decir, que cuanto forma parte de él se halla «en el mundo»; la metáfora pierde su espesor de comparación; el símbolo, su intervalo de realidad; la imagen, su función analógica, y la obra de arte, como los propios ensueños del enfermo, se convierte en el «estar en el mundo». El enfermo no pinta un cuadro ni escribe un poema. La obra tiene un valor mágico y al mismo tiempo estético. El autor ha caído en el abismo, allí donde no solamente no hay ya realidad por el hecho de ser fantástico, sino donde, por la metamorfosis que se ha operado en él, existe de tal modo lo real que no hay posibilidad para lo fantástico. El hombre ha caído en lo maravilloso.

5.3. La esencia común al arte y a la locura

Ya nos dejemos cautivar por la atmósfera de los «cuadros objetos», por los maniquíes de Giorgio de Chirico o de Carlo Carrá, o fascinar por el sortilegio de una composición de Braque o de algún capricho de Picasso; ya seamos encantados por una composición de Max Ernst (dos niños amenazados por un ruiseñor), o ya nos dejemos penetrar por la encantadora poesía de Bretón o de Eluard, o nos dejemos captar por las fantasías de Dalí, se trata siempre del mismo mundo a la vez insólito, barroco y maravilloso, por el que seguimos a estos guías de nuestro propio deseo lírico. La originalidad, la extravagancia de la invención llevada a su grado supremo de artificio y ensueño, nos capta hasta provocar un síncope de la realidad tan seguramente penetrante que la risa misma que pretende insultar lo absurdo surge provocada por el vigor de éste.

Supongamos que hubiese museos de olores, donde los visitantes fueran a gozar de los perfumes de las flores y de los aromas más exquisitos. Supongamos que una estética nueva propone con una mezcla de malicia y seriedad a los aficionados a sensaciones olfativas, el amoníaco, la asafétida, etc. Imaginamos fácilmente los clamores de la muchedumbre. «¡Cómo! —se dirían— Venimos aquí para respirar buenos perfumes y se nos ofrecen olores nauseabundos». Tal es la idea que asaz ingenuamente se forja uno de la llamada revolución surrealista en el dominio del arte. Todo el mundo siente o cree comprender lo que hay de bello en la «Gioconda», la «Primavera» de Botticelli, las «Meninas» o los frescos de la Sixtina, pero no se siente, se prohibe uno sentir, lo que de bello hay en los «horrores» de Picasso o las «estupideces» de Dalí. Se buscan perfumes y se reciben huevos podridos. Esta impresión se hallaría, desde luego, bien fundada si la esencia del arte fuera el ser un placer de los sentidos; mas no es así. «El goce sensual —escribe Sartre al final de *L'imaginaire*— no tiene nada de estético... Cuando se capta, por el contrario, el color rojo de un cuadro, se le capta, a pesar de todo, como formando parte de un conjunto irreal, y es en este conjunto donde resulta bello». Yo incluso diría que la clave de todo valor estético es de tal modo función de esta pertenencia a lo irreal, que el placer y el conocimiento estético no comienzan para el verdadero aficionado al arte más que cuando ante un cuadro, después de haber suprimido la ficción, el motivo, la anécdota, comienzan a surgir curvas, formas, sombras, proporciones de masas y de valores, equilibrios cromáticos, con lo que se penetra, no solamente en la apreciación técnica de la factura, sino en el juego mismo de la irrealidad, en el peso, la luz y el sentido de estas formas que se ofrecen en su original y único artificio. Ante un retrato de Vermeer yo no gozo del color, sino del misterio del color.

Esto nos conduce fatalmente a considerar como esencia de la estética la poesía, que en su misma naturaleza no se puede asir sino como un misterio. El librito de Paulhan, *La clave de la poesía,* es particularmente precioso a este respecto. Con un vigor y rigor excepcionales, demuestra que el misterio depende por entero de una proporción enigmática y variable entre el significado y el signo, es decir, entre los dos elementos de toda expresión. Unas veces se oculta el significado en la arquitectura formal de los signos; otras, y a pesar de la transparencia del edificio formal, se refleja un profundo y oscuro significado. Mas es siempre de esta inadaptación, de este margen de indeterminación, de esta opacidad, de donde surge el sentimiento estético. Ante el bloque de mármol más minuciosamente cincelado, ante la arquitectura mejor equilibrada, el cuadro más sólidamente pintado, el drama más directo, lo que nos conmueve, a nuestro pesar muchas veces, no son las formas perfectas, de las que somos conscientes, sino el secreto que de ellas emana, lo irreal, que duplica lo neto de sus contornos. Lo que es poético en la poesía no es la poesía pura, según lo expone Paul Valéry; es la pura poesía. Una fotografía no es estética sino gracias a cualidades extrañas a la reproducción de los objetos; por ejemplo, su iluminación, sus matices, en suma, si está en algo deformada, si alguna cosa la despoja de su exactitud. Este «camino real» hacia el fantasma imaginario que es el arte puede ser recorrido en ambos sentidos, ya sea que el autor sutilice en la sabia arquitectura del estilo lo real y eleve la irrealidad espléndida de la forma como una sinfonía, ya sea que remueva el mundo de las imágenes y nos las presente en trozos informes de carne y de sangre. Diversamente sublimado en la técnica de una forma más o menos potentemente orquestada, es siempre lo irreal lo que está en juego.

Otro aspecto más profundo aún del sentimiento estético es el siguiente: si entramos en contacto con lo irreal a través del vaso comunicante del arte, nos encontramos con la imagen de otro, la intención del creador, incluso desconocido para nosotros, que nos tiende, como una ofrenda, su expresión y también la sensibilidad de aquellos que necesariamente mezclamos a nuestro encantamiento. El encuentro con el autor se hace a mayor o menor distancia en el camino de esta comunión, según que la obra sea directa o hermética, mas exige siempre un esfuerzo por parte del aficionado y requiere que éste colabore en la creación. Es incluso la proporción en que el aficionado se compromete la que asegura y define su placer estético. A este respecto, la pareja creador-aficionado es una dimensión estructural del sentimiento estético, que exige no solamente un confrontamiento de dos funciones, sino su inversión: todo aficionado a una obra de arte concluye la creación de ésta, o la crea una vez más bajo una nueva forma. Así, toda obra de arte nos parece implicar una parte que permanece libre, disponible y contingente. Mas un cuadro, la música, un poema, son también los puntos de encuentro o más bien los focos del mismo, del espectador con los personajes imaginarios o reales que aquél contempla invocados por su simpatía o su recuerdo. Yo no pienso que uno goce, en soledad, de un objeto estético. El gusto colectivo en general o restringido a una capilla o secta estética no constituye sino uno de los aspectos más groseros de esta participación. La proyección de nuestros vínculos con otro, que nosotros identificamos más o menos con nuestra propia imagen y con la de aquellos personajes que fijan bajo formas diversas nuestra libido, forma parte integrante de este «comercio». Todos los estetas han captado esta profunda unión, que constituye también la raíz del placer estético. Es lo mismo que expresa admirablemente Jean Paulhan cuando escribe: «En suma, es necesario —mas suficiente— para que haya poesía, que haya comunicación, intercambio, comercio».

Así, se abre ante nosotros la significación última del mundo estético, que es comunicación de nuestra naturaleza más íntima y más profunda: las imágenes de las que nuestra vida se halla animada. Si tan sólo de cuando en cuando, a lo largo de la historia del arte, brotan las obras llamadas simbólicas (porque expresan en imágenes la esencia de la Humanidad: Antiguo Testamento, Shakespeare, Hieronymus Bosch, Max Jacob), de hecho la corriente profunda de toda obra, de toda escuela estética, no es jamás otra cosa que el flujo lírico donde se confunden el arte, el amor y la mística. Los mitos, los salmos, la poesía, los libros de caballerías, los museos, las sinfonías, nos asen por nuestras entrañas mismas. Pulsan en nosotros el núcleo lírico de la Humanidad, contenido en todos nosotros, el cual nos une como nuestras miradas, nuestro lenguaje y nuestros sentimientos. Así, quizá, comprendamos ahora mejor que el surrealismo no es sino una forma exasperada de la estética, llevada tan lejos en su movimiento que invierte las «fórmulas artísticas». Allí donde el arte clásico aparenta jugar sobre las claves de los placeres sensuales, de la forma, de la expresión perfectamente realizada y del contacto sublimado, la estética surrealista descubre bruscamente los términos opuestos a cada una de estas fórmulas: lo irreal maravilloso, el fondo, la expresión inconclusa y la brutalidad libidinal de la unión estética.

Así, no es de asombrar, después de haberse abierto las compuertas entre el Arte (con A mayúscula) y el arte surrealista, que las producciones de nuestros enfermos contengan también algo de común, que es precisamente su carácter estético. A este respecto no hay ninguna diferencia fundamental y profunda entre la estética que irradia toda obra de arte y la estética que segrega la locura.

Antes de abordar el conjunto del problema de las diferencias estructurales que separan la estética surrealista de la estética de la locura, debemos desenrollar aún algunos hilos de esta tremenda maraña. Debemos comprender bien que en el llamado dominio de la estética hay que distinguir lo que «es» bello y lo que «se hace» bello. Son estéticas, en efecto, las formas de la Naturaleza, ya hayan sufrido la metamorfosis que les imponen las formas de nuestra sensibilidad, o ya se refracten en el núcleo lírico de nuestra propia naturaleza. Son estéticas asimismo las formas creadas por el artista. *Objetos estéticos y obras estéticas*, tales son los dos extremos de una serie móvil de formas de la vida psíquica que, expresando nuestra armonía con el mundo de las imágenes, constituyen la dialéctica de lo bello. Es en esta perspectiva en la que deben definirse el objeto estético, la obra de arte y el artista.

El objeto estético en tanto forma parte de la Naturaleza, se define por la resonancia profunda e inmediata que ciertos aspectos del mundo sensible provocan en nosotros, en cuanto proceden de lo maravilloso, es decir, de lo que es vivido como irreal. Una puesta de sol es, al igual que un diamante, irreal, en cuanto el asombro que provocan en nosotros tiene algo que es inconmensurable con los aspectos familiares de la realidad. El deslumbrador fulgor de luces y colores es estético, mientras que no lo es un cañonazo, ya que este último nos abre las puertas del miedo y nos entrega a la terrible presión de la realidad, mientras que aquél nos abre las puertas del ensueño y nos hace refluir hasta el fondo de nosotros mismos. A este movimiento de ensueño mágico se reduce todo fenómeno estético de la Naturaleza, definiendo el objeto estético como algo imaginario cuyo foco es el ensueño.

La obra de arte es la creación, la formación artificial de un objeto estético. Es el producto de un trabajo de expresión conforme a un principio formal, a la ley de un estilo. Se ordena en relación a un cierto ideal que define una escuela o una época. Toda obra de arte, en tanto expresa el deseo del artista por realizar las formas de su sensibilidad, se inscribe en un cuadro artificial, es decir, se destaca del autor para objetivarse en una forma que la aleja de él y la aproxima a los demás.

El artista, por último, ya se abandone a su inspiración o a su automatismo inconsciente, ya discipline el flujo de su espontaneidad eidética, aísla su obra de sí mismo. Se desprende de ella, como ya hemos repetido. Por muy profundo que sea el lazo mediante el cual su obra se une a su sustancia, lo rompe siempre, tarde o temprano. Temprano cuando trabaja su forma hasta concluirla. Tarde, cuando ofrece su obra como un enigma. La sinceridad se halla puesta así de continuo sobre el tapete, y ningún esfuerzo, por trágico que sea, logrará (y éste es el drama romántico de la vida del artista) abolir completa y absolutamente esta dehiscencia primordial.

Después de haber puesto en evidencia lo que hay de profundamente idéntico en toda producción estética, y especialmente en la del surrealismo y en la locura, henos aquí ahora en situación de conducir muy rápidamente hacia su solución el verdadero problema: el de las diferencias estructurales que separan una y otra.

5.4. DIFERENCIAS ENTRE LA ESTÉTICA SURREALISTA Y LA PRODUCCIÓN ESTÉTICA PSICOPATOLÓGICA

Planteemos en primer lugar este problema en su forma general: ¿Cuáles son los caracteres propios de la experiencia surrealista? ¿Qué diferencias separan las producciones estéticas surrealistas y psicopatológica?

1. *Características de la experiencia surrealista.*— Bajo los tumultos y frenesíes de la experiencia surrealista hay una disciplina, un rigor y un estilo. Los conceptos de automatismo, de pura espontaneidad, no han impedido el que, como dice Blanchot, «lo propio de la escuela de Breton es el haber mantenido siempre sólidamente unidas tendencias irreconciliables». Nada de literatura, pero, sin embargo, un esfuerzo de búsqueda literaria, una atención constantemente prestada a los procedimientos y a las imágenes, a la crítica y a la técnica. «Lo que cuenta no es el escribir..., y, sin embargo, el escribir cuenta, escribir es un medio de experiencia auténtica, un esfuerzo completamente válido para dar al hombre idea de su condición.»

Efectivamente, incluso en la «época famosa de los sueños» surrealistas y de la escritura automática de Desnos y de los *Campos magnéticos,* toda experiencia de este orden se desenvolvía bajo el signo de una consigna y de una dirección, de una valorización de la obra. La intención no puede hallarse ausente de una producción tan rica y, como me decía recientemente Michel Leiris: «es cuestión de velocidad». Algunos, como Desnos, han podido entregarse a un virtuosismo de inspiración asombroso, y otros, como Roussel, no construían su fantástico edificio sin seguir meticulosas reglas arquitectónicas. Una cosa es, en efecto, abandonarse a la inspiración, y otra castrarse de la inspiración, presentarse como una máquina, un altavoz o un fonógrafo. No puedo intentar exponer aquí, pues me faltaría la competencia para hacerlo, el estilo y la técnica surrealistas tal como han llegado a constituirse. Si la retórica consiste, como dice Paulhan, en sostener que el pensamiento procede de las palabras, entonces cierto es que el surrealismo es la retórica.

Esto, por otra parte, no constituye una condena de los métodos surrealistas, sino tan sólo la indicación de que no es posible prescindir de ellos. Como ya hemos subrayado, las producciones surrealistas son *obras,* el surrealismo una *forma de arte,* y los surrealistas, *artistas.* Si se han sublevado contra esta idea no han podido hacer otra cosa, para justificar su valor, sino ingresar en un sistema de valores, de técnica y de estilo, por el cual se define una escuela. Su actitud ante la realidad, ante la sociedad, su conformidad al no conformismo, su liberación, constituyen los signos habituales —dicho sea con perdón— de los «estetas». Sé que tornando como ejemplo uno de los más extravagantes y, a sus propios ojos, de los más sospechosos de entre ellos, Salvador Dalí, no podría referir todos al mismo patrón. Pero he leído atentamente su «vida secreta» y puedo decir que lo que más me ha chocado y me parece más evidente es su *parti pris* sistemático de fantasía y excentricidad. Su vida se desarrolla como un inmenso sueño freudiano, como una locura. «Estoy loco —repite varias veces—, excepto en un punto en que no estoy loco». Esta fórmula me parece justa y expresa bastante exactamente una forma de ideal fantástico de sí mismo, que Dalí mismo denomina la «paranoia crítica», mas en la que yo más bien vería una apariencia de paranoia, al igual que en los surrealistas, en general, habría una apariencia de locura, es decir, una «ausencia de locura».

Así, la producción surrealista se halla ligada a la libre intención de su autor, del cual se desprende. El surrealista no segrega su obra, no la exhala sin adoptar con respecto a ella una cierta distancia. Si va más lejos, en el «libre automatismo» que el arte clásico, permanece, sin embargo, siendo un artista que hace una obra de arte. Su «libre juego» es un «libre juego» libre. Por vivida, intensa, ingenua, automática que sea la producción surrealista, nace de un poder reflexivo. A este respecto, su surrealismo es una forma de arte que continúa siendo «literaria», «esteta», «procedista», sin que otorguemos a estas palabras un sentido peyorativo.

2. *El objeto de la psiquiatría.*— Seré en este punto breve, ya que todos mis trabajos, y singularmente el que trata sobre la noción de automatismo, gravitan en torno a este problema central. Que la locura sea idéntica al sueño me parece evidente. Que

el objeto de la psiquiatría sea precisamente el estudio de todas las variaciones de la vida psíquica que se definen como una regresión forzada hacia el automatismo (del cual los ensueños constituyen un ejemplo típico), constituye el *leit-motiv* de toda mi concepción de la psiquiatría e incluso afirmaría que de toda concepción de la psiquiatría.

La locura no puede ser enfocada sino desde la perspectiva de la libertad. El pensamiento morboso y en especial el delirante es un pensamiento automático. Es simplemente un «libre juego». Lo cual no quiere decir que sea pura mecánica, sino simplemente que es menos voluntario, menos consciente y libremente dirigido, que escapa al control de las formas superiores de integración psíquica.

La locura es un pensamiento de un tipo inferior, en el sentido de que refluye a las fuentes instintivas de la psiquis, debido a una impotencia de adaptación a las formas de lo real. Este es su aspecto negativo.

Es un pensamiento lírico, esencialmente delirante, que se organiza según las leyes del pensamiento onírico y que en una cierta forma estructural representa una prodigiosa producción fantástica (aspecto positivo).

Reconocer un fenómeno humano como implicado en el orbe de la locura es definirlo fatalmente como una variación patológica, y al mismo tiempo establecer un juicio de realidad y un juicio peyorativo de valor en el sentido de que lo propio del fenómeno psicótico es ser y expresar una impotencia.

3. *Diferencia entre las producciones artísticas surrealistas y psicopatológicas.*— Si se restringe el problema de estas diferencias al arte clásico, el «genio», en su fórmula lombrosiana se impone en seguida al espíritu de los psiquiatras. Cuanto más grande y original es una obra, ya se trate de Lucrecio, de Shakespeare, Mallarmé o Proust, tanto más se buscan rasgos constitucionales patológicos o morbosos que la expliquen.

Para mí, que me he planteado la tarea de examinar las relaciones del arte fantástico y del arte psicopatológico, las dificultades son considerables. Rehusar el considerar como locos a todos estos atolondrados, fanáticos, etc., que se afirman a sí mismos como tales, podría parecer duro empeño si el declararles a todos locos no fuese un absurdo. Aun cuando tan sólo de ellos no lo fuera, el problema continuaría planteado. Además, la estética surrealista, como acabamos de ver, se identifica en bastantes puntos por sus procedimientos y por su busca de lo irreal con la estética del ensueño y del delirio. El problema parece, por tanto, insoluble, y a nuestro parecer, no puede ser orientado sino por nuestros anteriores análisis.

Constatemos, en primer lugar, que, comparados punto por punto (como dos puntos de una recta o de una curva), las producciones de los unos y de los otros son de un idéntico valor estético. El relajamiento sistemático de la forma en ciertos surrealistas, un cierto talento en nuestros enfermos, hacen que los valores estéticos de unos y otros coincidan a veces con gran exactitud. Es justo señalar, sin embargo, que las producciones estéticas son muy raras en nuestros enfermos, y que más raramente aún consiguen, en las gradaciones de lo fantástico, el genio de los pintores o de los literatos surrealistas. Es un hecho comprobado la decepción del «gran público» a la salida de una exposición de pinturas de alienados.

Debemos volver, pues, resueltamente a la solución que hemos indicado, estudiando el valor psicopatológico de las producciones de los neuróticos y de los psicóticos, examinando cómo la producción se desprende de su superficie de generación en la conciencia y la esfera intencional del artista y del enfermo. Hemos visto que algunas producciones morbosas no guardaban a veces más que relaciones mediocres o contingentes con el pensamiento morboso (obras yuxtapuestas, obras modificadas), y podemos precisar que aquí se trata de *obras,* esto es, que el enfermo se distancia en cierto modo de ellas, coloca ante él sus obras como «artificios». Pero las formas estéticas de proyección, a pesar de una adherencia más profunda del vínculo mágico que une el poeta a su poema o el pintor a su cuadro, aquel poema, este cuadro, continúan siendo lo que son: un poema, un cuadro. Por el contrario, en las formas estéticas inmanentes al delirio, aquellas que dependen directamente de la psicosis, el acto mismo de pintar, de representar, de escribir, es aprisionado en el magma del delirio y en su sistema de representaciones simbólicas.

¿Qué sentido decisivo podemos deducir, en relación al problema concreto que nos ocupa, de esta distinción fenomenológica? El siguiente: que la producción estética patológica, que emana directamente de la locura, posee una estructura especial; que no es obra de arte, sino objeto de arte, objeto estético natural. Con ello quiero decir que en ella se realiza el ideal surrealista, ideal que jamás podrá alcanzar surrealista alguno si no está precisamente loco.

Volvamos, en efecto, a lo que hemos dicho anteriormente: a la diferencia entre obra de arte y objeto de arte. Hemos dicho que el objeto de arte, la materia estética se refracta de modo muy preciso en el foco de lo irreal y del ensueño. Desde este punto de vista, un delirio es «bello» como una puesta de sol o como un juego de imágenes, y su producción plástica o poética participa exactamente de la misma naturaleza estética. Se trata de un arte inconsciente de sí mismo, y para ser «obra» le falta a este fenómeno estético el ser artificialmente configurado. Emana del campo magnético del delirio, forma parte integrante de su *Gestaltung*. Por el contrario, una «obra de arte», incluso surrealista, por lo mismo que expresa la intención de crear una forma estética artificial (aunque sea de un modo verbal puro y espontáneo), y en la que lo imaginario, incluso después de su realización, permanece siendo imaginario, se separa de la producción psicopatológica por su estructura misma.

Más allá de esta diferencia estructural se perfila aún otra —si se quiere, la misma bajo un aspecto distinto— y que concierne a la personalidad del surrealista y a la del loco. Si a los ojos de aquellos que no aceptan la concepción que exponía más arriba y que define el objeto de la psiquiatría como una impotencia y como una regresión, es muy difícil, si no imposible, el separar lo que es «ideal de sí mismo» y lo que es «paranoia»; para mí, por el contrario, la posibilidad teórica de esta distinción, coincidiendo con el hecho de que un esteta, por fanático que sea, no es un loco, me coloca en una posición más cómoda. Y así retorno a los criterios que no ceso de proponer —y que, por otra parte, son los reconocidos por todos los psiquiatras aunque se empeñen en negarlo—: los de las relaciones de comprensión entre las estructuras del pensamiento o del comportamiento y las fases del desarrollo de la personalidad. Si es cierto que la trayectoria de nuestra personalidad se desarrolla y varía, que es susceptible por su propio movimiento de escoger su concepción del mundo, de la vida y del arte; si es cierto, por el contrario, que el enfermo mental se define precisamente por las determinaciones que se oponen a su impulso personal y que le colocan en una situación de impotencia, de naturaleza igual, si bien de grado diferente, a la del soñador aprisionado por su sueño, entonces es justamente el análisis estructural de la personalidad del autor y tan sólo él, lo que puede determinar las diferencias entre una producción estética o la obra, por fantástica que sea, de aquel de quien se dice que está loco, porque es un poeta, o que se califica a sí mismo de loco... sin serlo.

Podemos establecer las siguientes conclusiones:

—La locura no produce obras de arte, no es creadora. Da libertad a la materia estética, al nódulo lírico inmanente en la especie humana.

—La locura puede coexistir con ciertas formas de actividad estética, imprimiéndoles caracteres estructurales particulares.

—El loco no llega a ser artista por su locura.

—El artista puede llegar a ser loco sin cesar de ser, si no el mismo artista, al menos, un artista.

—La creación artística, por libre y extravagante que sea, es una obra de arte que posee una forma y un estilo.

—La locura no es una condición necesaria ni suficiente, ni del genio, ni de la obra de arte, ni, por consiguiente, de esa forma estética que es el surrealismo.

—El objeto de la psiquiatría no engloba la estética surrealista.

¡El loco autómata, el surrealista autómata! Sería, pues, en esta fundamental identificación con la máquina en la que habría que buscar el denominador común a su producción estética. Desde luego, tanto las obras surrealistas como los delirios se hallan repletas hasta el borde de imágenes de «robots», de ruedas, de aparatos, de maniquíes, de mecanismos, que reflejan su producción maquinal.

La implicación del automatismo, de la marioneta, en nuestra vida, en nuestra actividad, por oposición a la cual se define nuestra libertad, es la intuición fundamental a la que jamás he cesado de referirme, y que es el sentido profundo de toda mi concepción dinamista de la psiquiatría. La acción es siempre una cierta forma del ensoñar, como el ser una cierta forma del no ser; es siempre el mundo de las imágenes que transportamos, que fabricamos automáticamente, que proyectamos en nuestros planes y en nuestras obras. Pensamos y obramos contra él, no solamente con él. Mas a este movimiento de «desprendimiento», por el que se define la libertad y que es el verdadero camino de la libertad, se opone ciertamente el reflujo hacia el polo automático de nuestra vida, de nuestro ser, verdadero principio de inercia psíquica.

Cuando esta caída es libre, es decir, cuando engendra el arte (y en especial aquella forma estética que es el surrealismo), cuando esta caída es también vuelo, el poeta se abandona a la potente germinación de las imágenes que en él se alzan y que nosotros llamamos inspiración. *Hace entonces lo maravilloso.*

Cuando esta caída, por el contrario, depende, vertiginosa, irresistible e irreversible (como en el sueño o la psicosis) del peso físico de nuestro organismo, engendra el delirio. Es decir, no se trata de un automatismo consentido y buscado, sino de un automatismo forzado, de un automatismo de impotencia. Entonces, y solamente entonces, es cuando el hombre está loco, cuando a medio camino entre el ser y el no ser, entre la vida y la muerte del espíritu se convierte en lo que no existía sino dentro de sí mismo, en el *reverso de su plena realidad.* Y aprisionado en la fantástica existencia de las imágenes, en su milagrosa irrealidad, *es maravilloso.*

APÉNDICE

Los delirios*

Henri Ey

El problema de los delirios ha sido siempre objeto de la mayor atención por parte de los psiquiatras, y en el estado actual de la psiquiatría, sigue siendo el problema fundamental. Es suficiente, por ejemplo, recordar las discusiones del Congreso Internacional de Psiquiatría de 1950 en París, y las dos grandes revisiones generales alemanas (la de Schmidt, de 1940, y la de Huber, de 1954), así como todas las discusiones de las revistas y sociedades psiquiátricas, para darse cuenta de que este tema sigue siendo la preocupación mayor de los psiquiatras.

1. La definición del delirio

Yo no estoy muy seguro de que hayamos hecho muchos progresos de cien años a esta parte, y si me refiero a las discusiones del Congreso de París (1950), debo decir que es con una especie de sentimiento de vergüenza que uno se apercibe de que los psiquiatras han permanecido, con relación al problema del delirio, quizá por debajo de los estudios del último siglo. Se trata de un problema muy difícil porque presupone nada menos que el de la construcción de la realidad, y como consecuencia, se nos pre-

*Edición original: Ey, H.: «Los delirios», *Revista de Psiquiatría del Uruguay*, 1959; (140), pp. 3-42.

senta en la psicopatología y en la psiquiatría, como un fenómeno central en ambas, porque el enfermo mental es un hombre que ha perdido el acuerdo con la realidad.

Sin duda, podemos decir lo mismo de la alucinación, pues es también hablar de delirio, porque en el fondo, la alucinación y el delirio son el mismo fenómeno de desintegración de la realidad.

Nosotros debemos abordar el problema del delirio con una cierta concepción de la construcción de la realidad y, por falta de una visión suficientemente profunda de lo que es la realidad y la construcción de la realidad por el hombre, el problema del delirio permanece generalmente más allá de sus posibilidades.

La construcción de la realidad supone lo que uno puede llamar una estructura de la conciencia, en tanto que la estructura de la conciencia, garantiza una especie de equilibrio entre el deseo y el orden objetivo en la experiencia sensible. En efecto, ser consciente en una situación dada y en un momento dado, es organizar el campo de su conciencia de tal suerte que continuamente se establece un cierto orden entre lo que se puede llamar los valores subjetivos y los valores objetivos, es decir, que en realidad la estructuración misma de la conciencia y su organización témporo-espacial están en su plenitud como un triunfo de la ley de la objetividad, y de su acuerdo con la realidad, sobre las fuerzas inconscientes del delirio.

Entonces, la realidad depende de esta estructura de la conciencia, pero ella depende también de un sistema de valores que son los valores propiamente éticos, o intelectuales, o lógicos, que constituyen el sistema ideal de creencias de la persona. Es decir, que el problema de la realidad no es solamente el problema de la percepción al que nos lleva siempre la estructura de la conciencia, sino también el problema de las relaciones del hombre con su mundo, es decir, del sistema de valores propios a cada uno de nosotros, sistema que configura su concepción ideal del mundo.

En esta doble perspectiva, por lo tanto, nosotros vamos a encarar el problema de la realidad y el problema del delirio, diciendo que el delirio está en cada uno de nosotros como en potencia, porque está implicado en nosotros dos veces: en la infraestructura de nuestra conciencia y en la infraestructura de nuestra personalidad.

Es virtual en cada uno de nosotros, en la posibilidad misma que tenemos de abandonarnos al ensueño, en nuestra conciencia desestructurada, y está en nosotros porque tenemos también la posibilidad de abandonarnos a todas las fantasías y a todas las extravagancias de la pasión, de la imaginación y de las creencias ilógicas contra las que nosotros hemos edificado nuestro ideal de «Yo».

Hay una expresión de Leuret que es muy profunda y muy decepcionante. Él decía en el último siglo: «Cuando yo examino todas las ideas de los hombres y los absurdos que ellos pueden decir, sus ideas más extravagantes, quedo como avergonzado y me parece que nuestros enfermos están a menudo menos locos que sus semejantes».

Es una cierta manera, en efecto, de presentar la dificultad misma de la aprehensión del fenómeno delirante. Es que, como yo acabo de decirlo, y lo recuerdo, el delirio es consustancial, podemos decir, a la humanidad, y que lo que nosotros llamaremos «el delirio», en la enfermedad mental, es una cierta manera de equivocarse que no se separa de una forma absolutamente radical de la manera en que cada uno de nosotros tiene una concepción más o menos local del mundo, de las creencias, de los artículos de fe, de las mitologías, de las supersticiones que, en el fondo, nos impiden el ser completamente razonables. Es decir, que la definición del delirio es muy difícil, porque el delirio satura el conjunto de la existencia humana.

Si bien uno define el delirio por lo que uno llama ideas delirantes, ideas de persecución, ideas de influencia, de magia, de espiritismo, ideas de grandeza, ideas de celos, nosotros nos referimos a formas de error, de creencia, o de percepción que en sí no pueden definir el delirio, y todas las veces que uno trata de definir el delirio justamente por su «temática», por sus temas, por las «ideas delirantes», se fracasa precisamente en tomar el delirio por lo que él es, es decir, una imposibilidad para un hombre de mantenerse en la coexistencia con otro de acuerdo con las ideas recibidas o las ideas comunes.

Esto ha sido bien visto especialmente en una obra que tuvo una gran reputación en Francia, hace 40 años, pero que se tiene tendencia a olvidar, a desconocer o a criticar, también por razones bien comprensibles, pero que yo encuentro injustas: es la obra de Charles Blondel *La conciencia mórbida*. La tesis defendida por Blondel me parece ser la más exacta que se pueda sostener sobre el delirio; se resume, en el fondo, en la opacidad de la experiencia delirante. Se comprende que en un momento, precisamente cuando uno profundiza con Binswanger en las relaciones de comprensión del delirio con la existencia humana, en el momento en que son tan actuales todas las concepciones propiamente psicogenéticas y en cierto sentido psicoanalíticas del delirio, esta definición del delirio por su opacidad fundamental repugna a las escuelas que tratan precisamente de poner en evidencia las relaciones de comprensión del delirio con las situaciones, y en suma con la realidad.

Pero aquí no se trata de saber si ésto nos repugna o nos molesta. Se trata de saber si ésto es. El delirio se presenta, efectivamente, como una especie de experiencia, como una especie de modificación del ser que no puede ya integrarse en las formas de creencia o de representación de la colectividad social en la cual el delirante vive.

Yo creo que repudiar la definición de delirio por su temática es efectivamente, en un sentido, volver a esta concepción fundamental de delirio, porque el tema no es, por así decir, más que contingente. En este sentido, Bumke, en su relato de 1950, ha dicho que «lo que es importante en el delirio no es el delirio mismo», es decir, en el fondo, que lo que es importante en el delirio no es la idea delirante o la temática delirante; es la condición misma del delirio. Por eso el delirio nos aparece, desde que abordamos este problema, como un desordenamiento estructural del ser psíquico. Es un desordenamiento estructural al que justamente todos los clínicos han estado siempre muy atentos, porque sería necesario ser bien superficial en la observación de la clínica de un delirante para no ver más que una idea delirante, un tema de envenenamiento, un tema de persecución, un tema de grandeza, desprendiéndose por así decir, del *substratum* fundamental, que es precisamente ese desordenamiento del ser delirante que ha hecho siempre considerar el delirio como una enfermedad que transforma en su base el conjunto del ser y de sus relaciones con su mundo.

Es así que todos los viejos clínicos mostraron siempre que el delirante se presentaba como tomado por un proceso patológico que invade al hombre y lo transforma, y no solamente como un hombre que tiene ideas raras, se equivoca o tiene pasiones. Es en este sentido, sobre todo, que es necesario comprender lo que se decía en el último siglo sobre el desarrollo del delirio crónico de persecución, considerado como una enfermedad evolutiva. Puede parecer absurdo, que se haya podido pensar esto, y que los psiquiatras hayan podido hacer una especie de enfermedad de la idea de persecución, pero es porque la idea de persecución nos muestra efectivamente una especie de metamorfosis del individuo, que puede seguirse en su evolución y que representa, en efecto, una especie de desacomodo total de su existencia, por lo que ellos la han considerado así. También es necesario remontarse a Moreau de Tours, que hablaba del delirio como de algo en que lo esencial era, a sus ojos, el estado primordial de delirio, es decir, que no había para él delirio sin una deformación de la actividad psicológica y lo que le parecía importante era justamente esta especie de proceso de desestructuración, este estado primordial que constituía verdaderamente lo esencial del delirio. Ustedes saben, que esos estudios, estaban dirigidos a partir de la experiencia o de la autoobservación con el hachís. Es bastante notable, en efecto, que desde entonces se haya cesado de hacer experiencias sobre lo que se llaman medicaciones alucinógenas o delirógenas, ya se trate del hachís, del cornezuelo de centeno o, más recientemente, de la mescalina, del ácido lisérgico, o de tantas otras drogas cuya lista se alarga todos los días.

Se puede decir que hay una serie de venenos que nos llevan, en efecto, y muy simplemente, a la noción de ebriedad delirante que es capaz de transformar la experiencia misma de nuestra percepción y de hacerla delirante.

Estos son los hechos que nadie tiene el derecho de olvidar, y nadie tampoco tiene derecho a hablar del delirio si no se recuerdan estos hechos fundamentales, que muestran y demuestran que, en determinadas condiciones (que son las condiciones mismas que sostienen empíricamente las teorías biológicas o cerebrales, o aún somáticas del delirio) el hombre es modificado en su sensibilidad y en su experiencia y se vuelve delirante.

Este es un fenómeno absolutamente fundamental, y que se traduce por esta noción de estado primordial de delirio tan bien analizado por Moreau de Tours.

Es este hecho el que nosotros reencontramos naturalmente en Blondel, del cual hablé hace un momento. Lo encontramos también en Janet de cierta manera, cuando Janet nos muestra que el delirio es una cierta desorganización de la realidad, una cierta manera de caer a bajos niveles, en la jerarquía del sistema de la realidad. Esto puede parecer una abstracción, pero expresa sin embargo la observación clínica del delirante, y esta degradación de las funciones de lo real que hace que él sea delirante. Pero no sólo los autores franceses se han ocupado de este estado primordial del delirio, y se puede decir que Jaspers, en su *Psicopatología General,* ha vuelto a tomar este tema de la experiencia delirante como una vivencia, por así decir, incomprensible en su base, una transformación misma de la percepción, tal que lo que son los elementos formales del pensamiento, de la sensibilidad y toda la estructura formal misma del ser se encuentran alterados en la experiencia delirante primaria. Este es el aporte capital de la escuela fenomenológica al problema del delirio.

Yo no tengo necesidad de decir también que la más grande obra que a mis ojos ha sido escrita en la psiquiatría contemporánea, la obra de Bleuler sobre la esquizofrenia, es una magnífica ilustración, un magnífico estudio precisamente sobre lo que es el mundo autístico del esquizofrénico sobre la base misma de una cierta disociación, como él dice (y poco importan las palabras) del ser psíquico. Cuando uno junta todas estas ideas, todas estas concepciones, sea de la escuela francesa, sea de la escuela alemana, y más generalmente de todos los psiquiatras que reflexionan y que observan el delirio, uno puede decir que, en efecto, lo fundamental es precisamente este proceso de delirio que define su estado primordial. Desde este punto de vista, los psiquiatras se han embarullado un poco a este respecto, planteándose preguntas que configuran el problema de la naturaleza primaria o secundaria del delirio. Esto nos va a detener un instante, porque es una forma de plantear el problema mismo del delirio muy clásica y muy difundida en todas las escuelas psiquiátricas.

¿Qué quiere decir la noción de delirio primario? Hay en esta noción mucho de confusión y mucho de contradicción. Si ustedes quieren, tratemos de comprender lo que se quiere decir cuando se dice que un delirio es primario. Uno puede querer decir en cierto sentido —y es un tema que está desarrollado en muchas de las escuelas de psicopatología— que el delirio es reductible a un fenómeno simple, que el delirio reposa, o está basado, sobre un mecanismo simple, y ustedes saben que el clínico —el clínico del siglo XIX y, sobre todo, de los comienzos del XX— fue muy lejos en este análisis atomístico del delirio, y que se ha tratado de reducir el delirio a un fenómeno «elemental», la alucinación, la interpretación, la imaginación, como si precisamente la alucinación, la interpretación, o la imaginación que entran en el delirio, no fueran ellas mismas delirantes.

Es una manera de relacionar el delirio con un mecanismo simple que sería, por así decir, una parte del delirio, el rol generador del delirio. Esta concepción, que ha causado, como ustedes saben, y sobre todo en Francia, una especie de pulverización de los delirios de interpretación, alucinatorios, imaginativos, etc., reposa, en efecto, sobre algo: hay, efectivamente, estructuras de delirio, que nos llevan a la alucinación, a la interpretación, a la imaginación, etc. Pero es un gran error imaginarse que se puede reducir los delirios a mecanismos tan simples. Si se ha intentado, sin embargo, esta reducción, es porque la idea de fondo era que reduciendo el delirio a un fenómeno simple se podría relacionarlo con una especie de causalidad mecánica. Si, en efecto, decimos que un perseguido es perseguido porque oye voces e imaginamos que esas voces son el producto de una excitación sensorial de su corteza temporal, es cierto que nosotros reducimos en realidad el delirio a una cierta excitación de la corteza temporal, y es esta idea la que ha llevado a ciertos psiquiatras a ver este mecanismo simple como el *non plus ultra* del delirio, y como la causalidad misma de la idea delirante y de los temas delirantes.

Así es como toda una concepción de delirio ha sido desarrollada y ha estado muy a la moda, a fin del siglo XIX, y al comienzo de éste. Los estudios de Séglas, por ejemplo, son en cierto sentido (por lo menos hasta 1900) una expresión bastante seductora. Esta manera de concebir el delirio como basado sobre trastornos elementales de la percepción y especialmente sobre los fenómenos alucinatorios, sobre el automatismo de los centros cerebrales, esta manera de concebir el delirio como reductible a un fenómeno mecánico ha sido, en el fondo, atributo de la psiquiatría clásica. Es, naturalmente, a Wernicke a quien uno refiere la responsabilidad principal, porque es él, sobre todo, quien ha discernido en el delirio, o en determinadas formas de delirios, fenómenos de producción mecánica, e ideas o sensaciones autóctonas.

Esta idea ha sido retomada entre nosotros por el genio que ustedes conocen, Clérambault, bajo la forma de la teoría del automatismo mental, es decir, que disecando —podemos decir con un estilo propio y verdaderamente genial— las observaciones clínicas que tenía bajo sus ojos, él reducía el delirio a un determinado número de fenómenos basales, el «síndrome basal», el «síndrome fundamental del automatismo mental», un automatismo mental más o menos sutil, hecho de eco del pensamiento, de comentarios de actos, de alucinaciones de todas clases (psíquicas, psicomotrices, auditivas, visuales, etc.). El reducía así todos los delirios a una especie de producción de fenómenos mecánicos, de los cuales pensaba que el estudio de la dinámica cerebral podría un día proporcionar explicación; pero ésta es una concepción del delirio que tiende a suprimir el delirio. El delirio no existe ya, el delirante no es delirante, el delirante no es un loco. Es simplemente portador de cierto número de fenómenos, de cuerpos extraños, de impresiones que se yuxtaponen a su existencia, a su experiencia, y él es, por así decir, él mismo, extraño con relación a este delirio. Esta primera manera de concebir el carácter primario del delirio tiende a suprimir el carácter del delirio, es decir, reducir el delirio a una especie de fenómeno puramente mecánico, que se impone al espíritu del individuo, a su sensibilidad, a su experiencia interior, y que lo induce a error, haciéndole tomar por realidades sus alucinaciones o sus fenómenos mecánicos, formados de una manera enteramente mecánica, sin que esté él mismo, alterado, o si se quiere, alienado.

Yo no estoy muy seguro (o más bien, yo estoy seguro) de que una cierta concepción exactamente inversa, que hace un llamado a la causalidad psíquica del delirio, no sea de similar naturaleza. Es decir, que según ella un delirio expresa la proyección de un complejo afectivo, que es la pura o simple expresión de una cierta tendencia inconsciente que, no encontrando su salida normal por las vías de la experiencia habitual, proyectaría así las exigencias de su simbolismo o las exigencias de sus fuerzas inconscientes; es hacer del delirio una idea también atomística.

Yo pienso que las fórmulas que doy pueden ser, en cierto sentido, interpretadas de la misma forma, cuando nos dicen que las ideas de persecución, de celos mórbidos, son simples proyecciones del inconsciente. Si un hombre se dice perseguido por una mujer, quiere decir que él ama a esa mujer o que él la pone en el lugar del rival que él ama. Estas fórmulas que están, como ustedes lo saben, en la base misma de determinada concepción analítica de la proyección simbólica del delirio, me parecen ser también tan tontas y simplistas como las explicaciones mecanicistas mismas porque, en el fondo, consisten en desinsertar el fenómeno del delirio de su estructura global, y nos proponen una especie de causalidad psicológica o intencional del delirio, por los complejos inconscientes, sobre un modelo que no es tan diferente ni inverso de la causalidad mecánica que Wernicke o Clérambault reconocían en el fenómeno primario del delirio.

Pero hay todavía una segunda manera de considerar el delirio como primario: es considerarlo en su originalidad *sui generis*.

Aquí encontramos una concepción del delirio que es ciertamente más verdadera y más profunda en este sentido: en efecto, lo que hay en el fondo del análisis fenomenológico de Jaspers, o de todos los fenomenologistas, es el carácter irreductible del delirio en el sentido de la incomprensibilidad. Es decir, que el delirio aparece aquí como un fenómeno tan radicalmente diferente de la experiencia común que parece tener una originalidad fundamental. Solamente el error de esta concepción, sobre todo alemana, sobre la naturaleza primaria y la originalidad absoluta del delirio, que se encuentra especialmente en Gruhle y Kurt Schneider, —los grandes campeones del origen primario del delirio— alcanza en ellos a la idea de que, en el fondo, no hay posibilidad de explicación del delirio.

El delirio se da como tal. Es un fenómeno que surge en la conciencia del individuo, como algo tan estrictamente original, que escapa a toda especie de motivación y de explicación: naturalmente, cuando se va tan lejos por este camino, uno se cierra precisamente la vía del conocimiento científico del delirio. Ustedes lo verán de una manera muy seductora leyendo los análisis aún recientes, de Müller-Suur por ejemplo, o de Matussek, que son los estudios alemanes más recientes sobre el problema del delirio, y las discusiones que ellas han provocado, (cf. la revisión general de Huber en los *Fortschritte der Neurologie-Psychiatrie,* 1955).

Ustedes aquí encontrarán casi siempre esta clase de exigencia propia de esta escuela, la de considerar el delirio como un fenómeno esencialmente primario, un fenómeno original. Pero si encaramos el delirio, bajo este aspecto, fundamental, debemos establecer que se nos presenta como primario en tanto que se presenta como tal al sujeto, que es vivido así por el enfermo mismo, y que aparece al observador que somos nosotros como una serie de experiencias, de sentimientos, de ideas, que no podemos llegar a comprender por qué tienen un carácter irreductible, inamovible, constante e inquebrantable, sin medida común con nuestra experiencia humana.

Yo pienso que hay algo de verdad en esta concepción, y que la fenomenología del delirio nos lleva precisamente a la necesidad de considerar que hay en el delirio ese «algo» (en tercera persona) que escapa a la conciencia misma del sujeto y de su observador. Pero, si el delirio es fenómeno lógicamente primario, no es cuestión de considerar que nosotros nos podemos satisfacer con esta primera aproximación a esta manera de presentarse, y estamos obligados a pensar que desde el punto de vista etiopatogénico es siempre secundario, porque lo es a ese desordenamiento del ser que constituye la noción de «regresión», o de «desestructuración» misma del ser psíquico. Ustedes ven, que, desde que nosotros encaramos este problema de la definición del delirio, y los grandes problemas que se han planteado a ese respecto, sentimos la necesidad de considerar el delirio como una desorganización, como una metamorfosis misma del ser, y no de reducirle a tal o cual mecanismo, más o menos simple, sea de la producción mecánica de las ideas y de las sensaciones, sea de la producción de mecanismos inconscientes.

2. La idea delirante

Yo he observado bastante prolongadamente en estos últimos tiempos a una enferma cuyo delirio era muy simple. Era una joven, de 26 ó 27 años, que decía lo más delirante que puede decir un delirante: «Yo, doctor, no soy delirante, yo estoy aquí encerrada, pero yo no soy delirante. Es un error, porque uno no puede llamar enfermedad al acontecimiento que yo sufrí. Es muy simple: yo tengo un vecino, y este vecino, de golpe se puso a ocuparse de mí. Él me ha captado con el pensamiento, entró en mí y todo el día —es necesario que sea un personaje estúpido— no cesa de decirme: "Ella es tonta, ella es sucia y ella no debe vivir con su familia". En fin, ¿cree usted, doctor, que hay algo más estúpido que una agresión como ésta? ¿Por qué este individuo ha llegado a penetrar en mi pensamiento, a hablarme todo el tiempo para decirme estupideces? Yo no comprendo tampoco lo que quiere decirme y todo el día, desde hace dos o tres años, no ceso de escucharlo. Por todas partes donde voy él está». «Por qué» —me decía ella— «llama usted a eso enfermedad? Eso es tanto más extraño puesto que usted sabe que esto es verdad. Usted lo sabe, y todo el mundo lo sabe. Y todos lo saben, porque todos lo oyen. Solamente que yo me pregunto por qué todos ustedes pretenden no oírlo. Sería tan simple que ustedes confesaran que están equivocados, y se obstinan en decir que este individuo no está aquí ahora, en este momento. Piense usted que en este hospital especialmente, es una cosa horrible oír a este hombre gritar todo el día. El aúlla todo el día. Molesta a todo el mundo, lo molesta a usted en su trabajo, doctor; yo lo sé bien, usted es importunado por él. Es terrible oir a este loco gritar todo el día, porque él es el que está loco y no yo».

Y esto es todo. Esta enferma nos presenta los delirios bajo esta forma tan simple, y en el fondo nos acusaba de delirio por no admitir que ella deliraba. («Yo no deliro, es él y usted los que deliran»).

El delirio es así, él se da puro y simple, pero cuando uno trata de reconstruir la génesis de la constitución de esta idea delirante que se ofrece con todos los mecanismos de proyección bien fáciles de comprender, con todos esos sentimientos que se proyectan desde un conflicto interior, y con las exigencias de ese conflicto interior, cuando uno trata de comprender cómo se ha constituído el delirio, uno se da cuenta de que en realidad las cosas no han sido tan simples; durante años, ella ha presentado una serie de trastornos (ha querido suicidarse, ha estado deprimida, ha estado muy confusa, ha sufrido toda suerte de tratamientos, en particular insulina) y todo esto, ella lo ha olvidado. Lo ha olvidado y no queda más que una especie de cristalización dogmática que hace que cuando observamos en un corte transversal a esta enferma podemos pensar, en efecto, que el delirio es reductible a una especie de fenómeno simple. Pero cuando tratamos de hacer el corte longitudinal de su existencia, vemos que este delirio ha tenido un desarrollo, que ha emergido en un momento dado de una experiencia que ha sido mucho más radical, mucho más profunda, y que se ha desarrollado durante largo tiempo. El delirio parece como *un efecto,* por lo que es secundario, justamente como yo decía antes; aparece como una especie de solución encontrada en un momento dado, que es terriblemente dramática, porque a partir del momento en que ella ha encontrado esta solución, ella ha sido encerrada en un hospital psiquiátrico, de donde no hay forma de hacerla salir puesto que, en cuanto sale, recomienza con sus actos contra el personaje imaginario de su delirio. Si analizamos rápidamente este caso, vemos que la idea delirante que aparece al comienzo tan clara, tan simple, tiene en realidad toda una historia, y que esta historia no es solamente la historia biográfica de la persona. Yo comprendo que es una joven virgen, que ha tenido dificultades amorosas, que ha sido golpeada en su existencia —ella era de origen judío— y nosotros conocemos, y podemos comprender el delirio por su existencia. Pero no podemos olvidar que, en un momento dado, este delirio ha estallado y bajo la forma de una experiencia desorganizadora que ha hecho decir a todo su ambiente: «pero, ¿qué es lo que le pasa a esta pobre muchacha?» He aquí que ella pierde el «espíritu». Dejó de trabajar, fue envuelta por una especie de vértigo interior terrible, y durante largo tiempo, decía: «Yo he buscado la solución y la he encontrado»; y es precisamente en el momento en que la solución aparece, en que saliendo del misterio ella llega al estado terrible de la clarividencia y de la comprensión, en el que su delirio se ha constituído. Por tanto, tenemos la obligación cuando observamos un delirio de buscar el primer esbozo, la primera constitución de ese delirio. Falret decía a este respecto algo que es fundamental: desconfíen ustedes, cuando traten de comprender un delirio y de saber cómo ha comenzado, de una terrible ilusión de la cual deben desprenderse, la ilusión del enfermo. El enfermo presenta siempre el delirio como una especie de racionalización, de justificación tal que mostrará que su espíritu ha estado siempre perfectamente claro, con una deslumbrante claridad, y que no ha cesado de estar en relación con la realidad misma de las situaciones, de tal manera que si ustedes no ponen atención entrarán en el delirio del enfermo, tomando su elaboración secundaria por la verdad. Si, por el contrario, ustedes prueban a comprender cómo se constituye, se compone y se edifica un delirio por la observación objetivo-clínica del caso, estarán obligados a ver que este delirio se ha constituído en un momento dado, en una especie de opacidad, de misterio, que es precisamente el *estado primordial del delirio*. Pero, en el caso que nos interesa, el delirio se ha vuelto tanto más delirante cuanto más lógico se ha vuelto, es decir, el delirio se ha racionalizado de tal manera que, salido de un embrión lógico, como decía de Clérambault, ha transformado completamente la lógica de las cosas para esta enferma, y es esto lo que es tan dramático en ella; porque uno llega al fondo de lo patético, cuando ve a esta joven tan inteligente y tan normal «por otra parte», tener un sistema de delirio que precisamente da vuelta totalmente a los valores de la realidad. «Sería necesario que yo fuera loca para no creer, y es necesario que usted sea loco para decirme lo contrario». Esta es la prestidigitación, el invertir las cosas, que representa «la lógica» del delirio. Así vemos que el delirio, a medida que se constituye justamente como el delirio más auténtico (y es tanto más auténtico cuanto más claro y más racional) exige precisamente una transformación completa del mundo de los valores de la existencia.

Nosotros vemos en todos los casos de este género que el delirio se constituye precisamente en su forma más típica cuanto más lúcido es. Y nada es, en efecto, más terrible, nada es más loco que este delirio que parece como desprendido de sus experiencias originales y como una construcción tan lógica que uno puede decir que el hombre delirante es un hombre que tiene el espíritu completamente falseado. Aquí tenemos el tipo mismo de lo que se puede llamar la alienación de la persona. Es decir: que hay un cambio tan radical de la manera de ser que estamos en presencia de un hombre que es un hombre, que tiene la misma fisonomía que nosotros, pero que ha dado vuelta a todo su sistema de la realidad. Solamente esta manera de delirar, esta manera racional de delirar, de tener ideas delirantes, o de tener una especie de lógica delirante, esta sorprendente lucidez del delirio, no es más que una apariencia o no es más que una fase, podemos decir, en la evolución del delirio, y aquí vemos nosotros que, precisamente los dos sentidos de la palabra delirio, que están implicados en francés y en español en una misma palabra, se encuentran bien diferenciados en la psiquiatría alemana o inglesa, bajo la forma de *delirium* por una parte, de *Wahn* o de *delusion,* por otra. Estos dos aspectos fundamentales del delirio se encuentran en la lengua española, como en la lengua francesa, confundidos bajo la misma palabra «delirio», y esto no es ciertamente por azar.

Es que, en efecto, el *Wahn, primäre Wahn* de los alemanes, nos sugiere en cierto modo un cierto estado de *delirium,* y en realidad uno no puede separar completamente la historia natural y antropológica del delirio de lo que precisamente llamamos los «estados de delirio», de la manera de caer en el ensueño y en todos los estados análogos al ensueño. De tal manera, podemos decir, que lo más importante en el delirio, aun en el delirio puro y sistemático, no es la construcción secundaria del delirio, su racionalización, su lógica, su simplicidad, su estructura ideica o afectiva; lo más importante es justamente lo que nos proporciona la patología de la conciencia, su desestructuración, que es el modelo mismo de lo que es la experiencia delirante.

3. La experiencia delirante

Hay, en efecto, otro aspecto fundamental del delirio, o, mejor dicho, la inversa de otra manera de delirar, que es el de la experiencia delirante en el curso de las desestructuraciones y de la conciencia.

Yo he estudiado mucho, en el volumen que acabo de consagrar a la estructura de las psicosis agudas y de la desestructuración de la conciencia, esta fenomenología de la desorganización misma del campo perceptivo, del campo fenomenal de la percepción que, en un momento dado, y casi siempre bajo diversas formas de diversos grados de desestructuración, contiene el delirio de tal modo que es precisamente la manera de organización témporo-espacial de nuestra experiencia la que está aquí afectada, está alterada; y en la medida misma en que ella está alterada la conciencia se vuelve delirante, como se vuelve delirante cuando nosotros caemos en el sueño. Hay una expresión fundamental de Merleau-Ponty que puede servir de exordio a esta fenomenología del delirio. Él dice: «Lo que nos protege del delirio no es la razón ni la inteligencia, es el orden y la estructura del espacio, de nuestro espacio», entendiendo por espacio no el espacio geográfico o el espacio geométrico, sino el espacio vivenciado de nuestra vida psicológica y, en efecto, me parece que lo que hay de fundamental en la experiencia delirante aguda, en la experiencia delirante bajo su aspecto más dramático, más auténtico, es precisamente que ella es como una desorganización de toda la estructura témporo-espacial, desorganización que es propiamente delirante. Es lo que yo he tratado de ilustrar estudiando la despersonalización, que es en el fondo una alteración de esta realidad tan ambigua que es la de nuestro cuerpo. Nuestro cuerpo nos pertenece, nosotros tenemos nuestro cuerpo, pero nuestro cuerpo pertenece también al mundo de los objetos, pertenece también al mundo de la naturaleza, y toda nuestra existencia transcurre en una especie de ambigüedad fundamental que es la ambigüedad misma de la percepción que hace que nuestro cuerpo sea enigmático, y nos plantea la problemática de lo objetivo y lo subjetivo. Es precisamente esta problemática de la distinción del objeto y el sujeto en la percepción misma de nuestro cuerpo la que se pone en causa en los estados de despersonalización.

La despersonalización es una desrealización, o más exactamente una experiencia desquiciante, de la extrañeza y de la monstruosidad de las relaciones del yo y del mundo, es decir, al fin de cuentas, una invasión recíproca del espacio objetivo por el espacio psíquico del ensueño y de lo imaginario en el esquema mismo de nuestro cuerpo. Esto es tan verdadero que las experiencias de despersonalización que nosotros observamos tan a menudo, sean en la clínica de la psicosis aguda o de las tóxicas, por ejemplo, en la mescalinización o con el ácido lisérgico, son vivenciadas como una forma de lo fantástico, y no solamente como un accidente periférico de la percepción del cuerpo. Las imágenes, o más bien la imaginación necesaria para la constitución de esta experiencia, se encuentran en el tomador de opio o de hachís, en el momento en que el parkinsoniano va a dormirse o en el alcohólico que se despierta de su delirio, o también en el comienzo de una *bouffée delirante,* etc.

Esta forma de experiencia de despersonalización, de sentimiento de despersonalización, que es tan fundamental para la explicación de todo delirio, equivale a una de las primeras degradaciones, puede decirse que la más típica, de la desestructuración de la conciencia, en tanto que ella es un orden de la representación, es decir el orden de los espacios vivenciados. Es curioso que se hable de espacio a propósito del pensamiento; yo acabo de hablar del espacio del cuerpo y de la representación, pero se puede hablar también de una especie de espacio psíquico, o de espacio del pensamiento. No hay aquí la antinomia que el cartesianismo ha querido introducir entre lo que es extensión y lo que es pensamiento, porque nuestro pensamiento y la experiencia que nosotros tenemos de nuestro pensamiento constituyen una especie de espacio imaginario en el cual se aloja, podemos decir, o se dispersa, o se ordena nuestra experiencia interior. Hay aquí una especie de espacio real, en que la conciencia cae más o menos verticalmente en la realidad del espacio, y es esto en el fondo la estructura fenomenológica fundamental de las experiencias de desdoblamiento o de las experiencias alucinatorias.

¿Quieren ustedes permitirme leer el análisis que yo hice de este pasaje de la virtualidad del espacio vivenciado a su realización en tanto que experiencia de la multiplicidad y de desdoblamiento en los datos inmediatos de la conciencia de la unidad y de la subjetividad de la vida psíquica?

3.1. Las experiencias de desdoblamiento alucinatorio

La experiencia del doble, de la posesión, de la extrañeza y de la mecanicidad del pensamiento, se desarrolla en ese «lugar» mágico y virtual en donde ni la metáfora ni la paráfrasis del espacio cerebral alcanzan para circunscribir la espacialidad. Se trata de una realidad menos vulnerable que la ambigüedad inmanente al espacio corporal, en tanto que ésta es llavero y gozne del mundo objetivo y subjetivo pero, sin embargo, de una realidad más vulnerable que la realidad del mundo objetivo.

Es el mundo mismo del sujeto que se percibe a sí mismo, y que entra en el conjunto del campo fenomenal como uno de los términos del binomio vital de su constitución. He aquí por qué se habla a menudo a este propósito de «percepción interna», de «campo de la conciencia», en el sentido estricto y parcial del término.

El campo fenomenal[1] está constituído de tal manera que uno u otro de sus polos representa tanto el fondo como la apariencia de su gestaltización total. Si yo percibo este árbol ante mí, mi pensamiento se borra frente a este dato del «campo externo». Si pienso en este árbol cuando estoy sentado en mi escritorio, el árbol se ubica en el primer plano y desplaza a mi escritorio. Pero el coeficiente de realidad espacial del árbol visto y del árbol representado es diferente, porque depende de la estructura misma que es tanto la de lo percibido que violenta mi percepción o en la cual yo proyecto mi acción, tanto la de lo representado que ocupa más dócilmente el primer plano de mi conciencia perceptiva sin ocupar nunca el lugar de una percepción externa. Es que, para recordar la expresión de Merleau-Ponty, la estructura equilibrada del espacio vivenciado mantiene una

[1] Para nosotros, como para Merleau-Ponty, repitámoslo una vez más, el campo fenomenal de la «percepción», es decir, la conciencia que organiza, vive y siente la actualidad de su mundo, supone necesariamente la totalidad de su horizonte con sus dos puntos cardinales específicos: el yo y el mundo.

separación que es el fundamento mismo del orden jerarquizado de la realidad. Pero veamos más de cerca qué es el mundo «interno» o «mental» de nuestro campo fenomenal; él es el que la conciencia se presenta a sí misma en una «reflexión» vivenciada en una estructura referente al espacio porque, en efecto, el mundo de nuestras imágenes, de nuestros pensamientos, de nuestras meditaciones, de nuestros proyectos, ese mundo que constituye, como decía H. Jackson, el ensueño de la acción, nosotros no lo captamos, no se nos revela, él no se forma en nosotros sino introduciendo una especie de distancia en el interior de nosotros mismos, reservando entre el *cogito* y las *cogitata* como un espacio, intervalo de una relativa heterogeneidad: la relación del Yo que yo soy y el del No Yo que es. Se trata, en efecto, del lugar que es como el medir el espacio imaginario y afectivo (*gestimmte Raum,* dice Binswanger) donde se desarrollará la sucesión temporal de lo vivenciado en tanto que entra en mí, me toca o depende de mí.

Pero el espacio virtual de nuestro pensamiento comporta también otra dimensión: el Yo no está jamás solo y el «otro», la imagen de «lo otro», de «lo ajeno», ocupa también un lugar en el interior de nuestro propio pensamiento frente a nosotros mismos, de tal suerte que no solamente el campo fenomenal subjetivo se organiza como un espacio físico, sino también como un medio social.

Es el pasaje de la virtualidad moviente de este «espacio vivenciado» a la experiencia de una multiplicidad, por así decir, matemática, o en todo caso a la de una duplicidad radical, lo que constituye el fondo de la *experiencia alucinatoria* o, si se quiere, la estructura de la *conciencia alucinante*. El doble implicado se hace explícito, el espacio representado se presenta y se presentifica. Es decir, el polo de la subjetividad se organiza como el polo de la objetividad: el pensamiento se vuelve objeto. Y, como lo hemos subrayado en los ejemplos que hemos dado, el «automatismo mental» (que ya en sí es como una primera objetivación del pensamiento en tanto que el automatismo tiende a escapar precisamente a la libertad del sujeto) este automatismo toma una densidad y una consistencia que son los caracteres propios de los objetos del mundo físico, es decir, que esta objetivación supone necesariamente una solidificación de perspectivas espaciales, que hasta aquí representaban solamente una especie de espacio moviente compuesto de líneas de fuerzas virtuales que distribuyen y orientan el campo interno en sistemas dinámicos sin dividirlos en «partes extrapartes». Así comprendemos ahora mejor lo que nuestros enfermos expresan cuando, a través de todas las metáforas de sus expresiones y las metáforas de nuestros análisis, nosotros tomamos la conciencia alucinante como una forma de organización de la experiencia que exige que el campo fenomenal pierda hasta la posibilidad de separar el mundo de la naturaleza del mundo humano y del mundo subjetivo, cuando ella regresa hacia las fases arcaicas y primitivas de su originaria confusión. Y es precisamente como pensamiento mágico, o más exactamente como la experiencia misma de una alquimia de categoría de realidad espacial, como una prestidigitación de sus objetos y un escamoteo de sus límites, como la conciencia del alucinado compone su mundo insólito. Las máquinas, los procedimientos eléctricos de este embrujamiento, forman parte integrante de esa vivencia que no puede constituirse sino librando a las formas monstruosamente «físicas» el espacio «moral» de su pura intencionalidad subjetiva. El reflujo hacia lo imaginario está aquí (como para la despersonalización) arrastrado por el proceso mismo de esta forma de desestructuración, por la razón de que la confusión de los espacios vivenciados es la fusión misma de lo imaginario y de lo real, la desrealización de lo real, o sea, en último término, *el delirio*. Pero este delirio es alucinatorio en el sentido mas fuerte de la palabra, porque es vivenciado como una *experiencia inmediata,* como un dato *sensible* de la percepción de esto que está aquí ahora.

En cuanto a la sensorialidad alucinatoria, *es efecto de ese trastocamiento del espacio vivenciado* que confiere al pensamiento un valor de objetividad, lo yergue como un objeto y lo envuelve de la riqueza de los datos sensibles constitutivos de su «presentación» en el mundo exterior, pero ella es también *satisfacción* de esta exigencia de la conciencia que requiere, para que «algo» o «alguien» se revele y se imponga a ella como una presencia actual, presentarse a ella por la vía y el sentido de los sentidos. De tal suerte que toda imagen constituída en objeto alucinatorio (la voz de otro, su llamada, su amenaza, la aparición de una escena, etc.) está ligada a la dramatizacion misma de la experiencia vivenciada, porque la *conciencia alucinante,* siempre más o menos teatral, anima, en el sector del espacio mismo que ella reserva a su puesta en escena, la representación de un drama. Aparatosidad de drama y a veces comedia o bufonada, pero más a menudo tragedia, la de una acción que se desarrolla en el interior del Yo como la irrupción del mundo de los otros o de las fuerzas de la naturaleza en el secreto y la intimidad del Yo propio para perpetrar allí una violación o un asesinato. Esta visión dramática, o más bien esta forma de conciencia metamorfoseada en visión dramática, se desarrolla pues, si no bajo forma de estas escenas y espectáculos de transformaciones, de las que Mayer-Gross nos ha dado tan maravillosas observaciones, por lo menos como una serie de acontecimientos que ocupan y llenan cada momento del tiempo.

Pero la separación entre el sujeto y su ficción se disminuye sin cesar en esta progresiva aproximación hacia el ensueño, y antes de reducirse ella misma a su ficción onírica, el sujeto vive en un *crepúsculo* donde, en el horizonte de su mundo, se mezclan las imágenes sangrantes y doradas de la confusión entre el mundo natural y el mundo imaginario, como entre el cielo y la tierra. Este crepúsculo de la realidad y de la organización témporo-espacial que la constituye es como la penumbra que oscurece la conciencia solamente aclarada por el fulgor de su propia luz. Este carácter del estado oniroide es el que todos los clínicos han denominado, recurriendo a una metáfora clásica, *el estado crepuscular de la conciencia*[1].

Pero la despersonalización y la estructura alucinatoria de la experiencia vivenciada (es decir, la intrusión misma del otro en el propio espacio o la intrusión misma del mundo de los objetos en el propio pensamiento) no son las únicas formas típicas de esta desestructuración de la conciencia. Hay otra más. Es justamente aquella en que la experiencia delirante se vuelve una «visión» y nosotros somos transformados en la fenomenología misma de la visión y del acto mismo de la visión.

A la visión como *substractum* de la percepción externa corresponde en efecto la «visión interior» como forma misma de la representación y de la imaginación. Esta visión «al interior de sí» es también un aspecto primitivo y constitucional de la conciencia que es como el «ojo» del mundo subjetivo.

3.2. La experiencia onírica

El delirio onírico representa lo vivenciado de la conciencia descompuesta en la confusión. Tanto vaga e inexpresable y muy deformada para ser percibida por el observador y quizá aún para el sujeto estuporoso, incapaz de retener los aspectos caóticos y sucesivos de su «representación» interna, tanto (y es aquí donde adquiere una auténtica existencia clínica) vivenciada con la intensidad de imágenes muy vivas, el delirio onírico es en la confusión, como el ensueño en el sueño. Variable como él, es tan pronto insignificante, tan pronto cambiante, elíptico en sus concentraciones de imágenes o generador de interminables peripecias, etc. Pero, naturalmente, no es intensamente vivenciado y expresado y no escapa tampoco a la aniquilación del olvido instantáneo sino en la medida en que es escénico. Por esta razón, el

[1] *Twilight* en inglés — *Dämmerszustand* en alemán; cf. nuestro estudio del estado crepuscular epiléptico. *(Études psichiatriques,* Estudio N.º 26).

onirismo es siempre definido como una sucesión de visiones que se desarrollan sobre la escena de la representación imaginaria. Nosotros hemos subrayado anteriormente que aspectos de teatralidad son, por así decir, inmanentes en la actividad de la conciencia que no se capta más que representándose. Pero aquí la constricción misma de la escena, los abismos de sombra que la rodean, la imposibilidad de su organización intrínseca y de su integración en un campo témporo-espacial variable, elástico y plástico, imponen al desarrollo escénico el ser esencialmente inconsistente y compuesto solamente de fragmentos discontinuos, de imágenes que no consiguen encadenarse.

Habiendo estudiado en los estados oniroides las formas caracterizadas por un encadenamiento escénico, en la medida de una rica actividad imaginativa propia de ese nivel, nos encontramos aquí en presencia de una *imaginería caleidoscópica.*

Si se emplea —y solemos emplearlo— el término «mundo onírico», es bien evidente, sin embargo, que el onirismo no se constituye en mundo, que es hasta lo contrario de mi mundo; sin duda en el confuso, contrariamente a lo que pasa en el dormido, no toda realidad está abolida, pero está dominada, destruída y prácticamente eclipsada por la formación de esto imaginario donde el flujo, precipitándose en una conciencia totalmente incapaz de constituirse en forma de objetividad témporo-espacial, se presenta sin mundaneidad.

Cascada de imágenes, desfile de visiones, sucesión heteróclita y discontínua de fragmentos de existencia, este caos inextricable no podrá, a pesar de sus aspectos dramáticos, ser captado por el observador como lo es en la ilusión de la conciencia delirante.

Si cada representación, en la experiencia onírica, es como un aspecto más o menos aclarado, más o menos definido, de un mundo virtual, éste queda solamente presentido y privado de la organización que lo consagraba como mundo. De tal manera que sin *su* mundo, la imagen del *sujeto* mismo desaparece rompiendo sus ataduras con el sistema de referencias objetivas, relativamente al cual ella se ha constituído.

Si, como nosotros lo hemos visto en la confusión, el sistema de la personalidad persiste, de tal manera que esta continuidad condiciona la perplejidad del yo frente a la evasión de su poder de organizar el campo de la conciencia, el sujeto figura allí solamente como una vaga abstracción y se confunde (como en el ensueño), con la imaginería que se da como una vivencia sin objeto y sin sujeto, una vivencia sin mundo, una vivencia de la confusión misma del sujeto y del mundo, es decir, sin posibilidad para el sujeto de recortarse de la fatalidad de las imágenes que sumergen la estrechez de los instantes que vive.

Siendo todo «aquí-ahora» y habiendo perdido este «aquí-ahora» todo poder de integrarse y ponerse de acuerdo con la historia del sujeto, éste no tiene otro recurso que el de «tomarse» en la sustancia misma de la imaginería que él engendra por el movimiento de sus pulsaciones vitales. ¿Qué es esta vivencia sin mundaneidad sino la proyección del ser fuera de sí mismo y en sí mismo? Es decir, la imagen que emana de su deseo y, en el extremo de lo posible, constituye para él «algo». Aquí tocamos el plano más profundo y más vital de la actividad de la conciencia, el de la necesidad para una conciencia de proyectarse en su propio campo, de tender a constituirse ahora y siempre en germen, en simulacro de realidad. La irresistible positividad de la necesidad onírica corresponde pues a esta impotencia radical, a esta nostalgia del mundo imposible.

La proyección afectiva en la imaginería onírica es un hecho que conocemos muy bien desde Freud y su escuela.

Esta necesidad de presentarse a sí mismo algo que sea como un simulacro o un eco del mundo compromete naturalmente en las imágenes oníricas la exigencia de pulsiones afectivas. Por el diafragma estrechado de la conciencia, importante para desplegar su campo fenomenal y abrirse en el mundo, pasan como pulsaciones afectivas, instintivas, emocionales, las imágenes que las representan o las simbolizan. Este simbolismo de la imagen onírica es exactamente el mismo que el del ensueño, y aquí repetiríamos lo que cada uno sabe y admite desde Freud: la sangre, los crímenes, los combates, la caída en el precipicio, las fauces del león, las ratas, el agua que sube, la guillotina, el incendio, el calabozo, el accidente, todas estas imágenes de pesadilla son como el redoble de las pulsiones auto- o heteroagresivas.

En el cuchillo que le corta la mano, en esta máscara que hace muecas ese bandido enmascarado, en esos parásitos que lo devoran, etc., se reconocen fácilmente los personajes y las situaciones arcaicas, las imágenes fálicas de serpiente, de revólver, etc. Las del cuerpo femenino (la cocinera, el alambique, el cofre, el péndulo, etc.), se mezclan para componer las figuras de un erotismo que se satisface con estos simulacros. En este sentido, el onirismo representa una especie de masturbación en que el sujeto juega con sus propios fantasmas. Son precisamente esas formas de propulsiones y pulsiones, sus deseos, sus pulsiones instintivas, las que proyectadas en las imágenes lo empujan a ampararse en ellas o a huír de ellas.

Hasta cuando, como en el ensueño, es el material perceptivo reciente o «profesional» el que constituye el arsenal y la reserva de material de esta imaginería, hasta cuando son los instintos, las emociones o los arquetipos específicos (que afectivamente surgen en la mayor parte de los hombres confuso-oníricos) los que suben a la superficie del delirio onírico, toda imagen que en él emerge y se constituye expresa la actualidad y la violencia de la persona reducida a su núcleo más primitivo. Yo creo que el problema del delirio no hace más que conducirnos a la fenomenología de esta experiencia delirante fundamental, y, en efecto, ella nos permite penetrar mejor en la esencia misma del delirio.

4. Los delirios crónicos

Pero en seguida que hemos dicho esto (que se aplica admirablemente a las psicosis agudas) se levanta frente a nosotros algo así como el espectro del delirante crónico lúcido, de ese enfermo del que he hablado hace un momento, que parece despojado de un estado de experiencia delirante, que se presenta sólo con ideas o creencias, y que constituye en el fondo la esencia misma de la fenomenología del delirio crónico.

Debemos subrayar que lo que llamamos delirios crónicos tienen algo en común, que hace precisamente que se tenga tendencia a englobarlos todos en un mismo término, como por ejemplo el de esquizofrenia. La escuela francesa se ha resistido siempre a esta asimilación pura y simple de todos los delirios crónicos en la esquizofrenia, pero sus resistencias se debilitan. Si ustedes anotaron la forma como yo expuse los delirios crónicos, en la *Enciclopedia Médico-Quirúrgica,* verán que no he presentado este problema con las distinciones clásicas habituales en Francia de la esquizofrenia, de las psicosis alucinatorias crónicas, de los delirios de imaginación, de los delirios de interpretación, etc. Por el contrario, traté de encontrar una comunidad, podemos decir, en todas estas especies y esto me ha llevado a considerar que todo el problema de la esquizofrenia misma debía ser considerado en esta perspectiva. La esquizofrenia no es el género en el cual hay especies, sino que es, por el contrario, una especie de un género «más general» si se puede decir, el grupo de todas las enfermedades que se manifiestan como *delirios crónicos.* De modo que no se trata de decir que todos los delirios son esquizofrénicos, sino que se trata de decir, mejor, que todos los delirios crónicos y, por tanto, la esquizofrenia, forman parte de un mismo género que es (Guiraud lo dice a menudo) la «enfermedad delirante». Es exacto, y como consecuencia de esta inversión de la perspectiva, se abren posibilidades de ordenar este caos que llamamos esquizofrenias, los delirios fantásticos, las parafrenias, las paranoias, etc.

La clínica nos muestra que todas estas formas pasan de un tipo al otro, y en la evolución misma de los delirios crónicos vemos estas formas de pasaje. Nosotros observamos formas de esquizofrenia que se vuelven delirios sistematizados, o delirios sistematizados que terminan en la esquizofrenia, o parafrenias que teminan en la esquizofrenia. No hay necesidad de recordar la historia de las parafrenias en la escuela de Kraepelin. Hay una comunicación tal entre todas estas formas de delirio, que no podemos dejar de ver que tienen algo en común. Ese algo en común es precisamente lo que satura más el grupo: es, evidentemente, la fenomenología misma de la destrucción de la conciencia, porque no se puede hacer la fenomenología de la esquizofrenia sin poner en evidencia —como lo han hecho Kurt Schneider o Berze, o como lo hizo Bleuler— que la manera de delirar esquizofrénica nos lleva a la fenomenología del estado hipnagógico o a la del ensueño. Los estudios fenomenológicos más profundos se orientan siempre hacia allí.

Podemos decir que, en el grupo de los delirios crónicos, la esquizofrenia nos aparece como una forma que tiene el enfermo de hacer del sueño la ley de su existencia. Pero lo que distingue la esquizofrenia de las psicosis agudas de las que yo he hablado, es que en las psicosis agudas hay, como dice Sartre, una ausencia de mundaneidad, por lo menos relativa (como en el ensueño).

El enfermo, en la experiencia delirante aguda, no solamente se aleja de su mundo y se desprende, sino que ya no podría volver a constituir su mundo, mientras que en la esquizofrenia vemos que la desestructuración de la conciencia se prolonga o se establece ya bajo forma de una construcción de un mundo hermético y vemos al esquizofrénico sumergirse más y más en el mundo simbólico y complicado que él constituye. Creo en efecto, que la última palabra de la estructura esquizofrénica es la «complicación». Esta manera de constituírse una existencia, tan complicada y laberíntica que el sujeto mismo se pierde en ella y que nos da la impresión de un mundo absolutamente impenetrable, no deja de ser una construcción. Es lo que Wyrsch ha dicho muy bien cuando dice que la esquizofrenia no comienza o no se constituye como tal sino en la construcción del *Eigenwelt,* del mundo autístico, elaborado como un mundo de verdaderos valores, pero de valores que se nos escapan y están esencialmente invertidos.

Pienso que esta modalidad «esquizofrénica» de delirio engloba la mayor parte de los delirios crónicos y esta modalidad nos lleva a cierta desestructuración de la conciencia. Vemos claramente que podemos llamar delirios esquizofrénicos o esquizofrenia precisamente a esos delirios que tienen una tendencia a interiorizarse, a perderse, a sumergirse en los subterráneos y en los laberintos de una ruptura completa de las comunicaciones con lo ajeno a sí, para volverse una manera de «mismidad» que no es como la del ensueño, porque es una «mismidad» que se rige y se organiza en un mundo de valores que nosotros podemos encontrar en las psicoterapias de esquizofrénicos, o en el análisis existencial de la evolución de las esquizofrenias. Pero hay otra manera de delirar que, podemos decir, no es la de sumergirse en un mundo subterráneo, o en un mundo opaco, y que es la del cierre de las comunicaciones. Consiste en abrirse un mundo, el del exterior, y superponer a ese mundo un mundo de ficción, de tal manera que aquí tenemos, en esas estructuras propiamente «parafrénicas» de los delirios fantásticos, una modalidad de estructura delirante que desconcierta al observador, porque estos enfermos son como ustedes y yo perfectamente abiertos a todas las relaciones (por lo menos superficiales) con la realidad, pero tienen como la necesidad de superponer a esta realidad un mundo completamente fantástico, un mundo loco. Y esta especie de doble registro de la existencia es a la vez vivenciado en la adaptación a lo real y por otra parte, supone una especie de cosmología fantástica, de mitología de la existencia que representan las formas más típicas de lo que se llaman *los delirios fantásticos o las formas parafrénicas*.

En fin, hay todavía una tercera manera de delirar o de ser un delirante crónico; es la de enquistar y racionalizar el delirio al punto de representárselo y presentárselo a los otros como una especie de construcción lógica y racional, de tal manera que aquí estamos frente a delirios que aparentan una forma de demostración seudocientífica o filosófica, o más a menudo una forma novelesca de la existencia, formas que tienen algo de plausible en el sentido de que, estando, por así decir, preparadas y digeridas (según las leyes mismas de la «digestión» lógica) se presentan al observador como formas de delirio perfectamente racionalizados. Pienso en el ejemplo del que les hablé hace un momento y que es una de las formas bastante típicas de esta «sistematización lógica». Estos delirios sistematizados son delirios esencialmente sensibles a cierta apariencia de lógica, aun cuando necesariamente los valores lógicos están invertidos.

Parece que nosotros podemos concebir que estas diversas formas de «delirios crónicos» son formas que, partiendo de experiencias delirantes primordiales, por así decir, las suponen pero las elaboran diferentemente como formas y soluciones de la existencia delirante.

Tal es, en efecto, la antropología misma del delirio, es decir el valor humano que toma el delirio en la existencia humana. Los delirantes crónicos son, en efecto, alienados, grandes alienados.

Nos sorprenden de tal manera y tienen algo de patético en su manera de ser que reside en el contraste mismo de una certeza aparente de razón con el escándalo de la razón que ellos llevan en sí mismos y que viven.

Yo pienso que no es posible concebir esta alienacion sin referirnos a la alteración misma de la experiencia sensible, y yo creo que desde este punto de vista aquí no es posible dejar de concebir que el delirio es un proceso fundamental, sea de amnesia del ser psíquico, sea de desestructuración, de disolución del sistema mismo de la conciencia, o de la formación misma de la persona.

Nosotros, médicos, patólogos, naturalistas, debemos considerar el delirio bajo esta forma, como un fenómeno de la naturaleza, un fenómeno que exige de nosotros que lo encaremos con una perspectiva biológica y somato-patogénica, lo que no debe hacernos perder de vista que los grandes progresos que se hagan en la terapéutica y en la patología del delirio surgirán probablemente modificando las condiciones biológicas de la persona que está invadida por el delirio a través de familias y de generaciones y como consecuencia de estos trastornos de la conciencia que constituyen el fondo de la enfermedad delirante.

Pero como no hemos llegado aún a eso, nos podemos contentar por el momento, y es también uno de los aspectos fundamentales del delirio, con ver cuál es el sentido existencial del delirio, porque lo tiene. Yo lo decía el otro día, y me parece bien repetirlo, un proceso no puede entenderse más que como una especie de integración, si se puede decir, del deterioro, como una impotencia que es al mismo tiempo una necesidad; un proceso, como yo lo repito a menudo, es a la vez una «impotencia y una apetencia».

Dormirse es, a la vez, ser tomado por el sueño y abandonarse en el sueño, y así el proceso de la enfermedad mental, por más biológica que sea, tiene siempre cierto sentido existencial. Me parece que si queremos encontrar el sentido antropológico, existencial, de los delirios crónicos y de las formas de existencia delirantes, debemos referirnos a la dialéctica del obstáculo en la existencia. Cuando encontramos un obstáculo podemos: o huir o luchar contra él o podemos triunfar. Estas tres formas de combate con el objeto o el mundo de los objetos, es lo que da el sentido al delirio en el orden de los fantasmas.

La huida frente al mundo de los objetos, es la esquizofrenia, la victoria sobre los objetos (victoria imaginaria) es la megalomanía de los parafrénicos, y la lucha contra el mundo de los objetos es precisamente la paranoia de los delirios sistematizados, y así vemos bien que, en esta perspectiva, no despreciamos ni el aspecto negativo del proceso ni menos aún el aspecto hedónico de esta monstruosa solución existencial que representa un delirio para el delirante.

Pero yo quería agregar que el delirio nos envía fatalmente al problema mismo de la estética de la existencia.

La estética es, para nosotros, una determinada manera de vivir contra la realidad, de vivir en el placer contra la realidad, de construir una contrarrealidad, o una pararrealidad o una superrealidad que es el mundo mismo del placer sublime en la belleza.

Me parece que, a este respecto, se puede decir que todo delirio nos transporta a la forma estética de la existencia.

Se podría hacer casi una clasificación de arte o de técnicas del arte, con relación a las formas mismas de la existencia delirante. Podemos decir, en cierto sentido, que la experiencia delirante aguda, tal como la he presentado hace un momento, es como una especie de realización de las artes plásticas, del arte donde se introducen precisamente los datos del sentido de la vista (en cierto modo, si se quiere, se puede decir también la música). Y que hay aquí como una teatralidad estética de la representación, como una manera de sumergirse en un mundo de placer, que es para el delirante, como para nosotros en el ensueño, una «visión» de placer. Por el contrario, el delirante crónico nos lleva a las formas más literarias del arte, y se puede decir, en este sentido, que el esquizofrénico es una especie de poeta simbólico, que se oculta en el hermetismo de sus comunicaciones y de su significación. Se puede decir también, que el parafrénico nos lleva a la magia de los mitos y de los cuentos de hadas, las leyendas, y que, por fin, el paranoico nos conduce a la estética misma de la novela, en tanto que él construye su existencia como un relato o novela donde él es el novelista de su propia existencia.

Así podemos decir que el delirio, bajo este aspecto, es el reverso de la realidad, y no será alejarnos mucho del sentido común concluir todas estas disertaciones, quizá un poco complicadas, con ideas simples, a saber, que lo que hay en el fondo del delirio es la exigencia interna del hombre contra la verdad, contra la dura realidad y su tendencia a formar una existencia que es en el fondo una existencia de insurrección, contra las leyes mismas de la realidad, de la verdad y de la razón.

ÍNDICE ALFABÉTICO

Ácido lisérgico: 164, 175
Adler, A.: 81
Agitación: 75
— delirante: 92
Agresividad: 117-118
Alcohol: 90
Alienación: 173, 188
Allamagny: 101
Alucinaciones: 75, 79-80, 160, 165-166
— acústico-verbales: 91
— cenestésicas: 91
— olfativas: 91
— táctiles: 91
— visuales: 91
Alucinógenos: 164
Ambivalencia: 127
Amencia: 93-94
Amnesia: 92
Análisis
— existencial: 187
— fenomenológico: 168
Anomalías: 107
Arte
— creación estética: 141, 150
— obra de: 146
— surrealista: 135-155
— y psicopatología: 135-155
Artículos de fe: 161
Atipicidad: 87
Autismo: 83
Autoacusación: 76, 112
Autocrítica, déficit de la: 111
Automatismo mental: 167, 178
Balvet, P.: 133
Beringer, K.: 83
Berze, J.: 83, 186
Bickel: 80
Binswanger, L.: 74, 83, 98, 162, 178
Bipolaridad: 128
Blanchot, M.: 148
Bleuler, E.: 67, 78, 81, 83, 106, 111, 186
Blondel, Ch.: 77, 83, 130, 162, 164-165
Bonnafé, L.: 98
Bosch, H.: 133, 138, 145
Botticelli, S.: 142
Braque, G.: 142
Bretón, A.: 142, 148
Breuer, J.: 93
Brotes delirantes: 107
Bumke, O.: 74, 162
Campo fenomenal subjetivo: 178
Capgras, J.: 84, 93, 105, 111-112, 115, 118
Carácter, superestructura del: 109
Carrá, C.: 142
Causalidad mecánica: 166
Celos: 112-113
Charpentier, R.: 93
Chaslin, Ph.: 90
Chirico, G. de: 142
Claude, H.: 81
Clérambault, G. de: 76, 80, 109, 114, 167-168, 173

Cognición delirante: 77
Compensación: 81
Complejo
— afectivo: 167
— de inferioridad: 106
— inconsciente: 168
Conciencia: 161
— alucinante: 178, 180
— campo de la: 177
— desestructuración de la: 163, 169, 174, 176, 181, 186-187, 189
— destrucción: 186
— estado crepuscular: 181
— estructura de la: 160
— onírica: 91, 97
— obnubilación: 92
— oniroide: 94, 96, 97
— organización melancólica: 98
— paranoica: 108
— trastornos agudos: 87
Conflicto: 171
Confusión: 75, 93, 181
Constitución: 109
— psicopatológica: 106
Cornezuelo de centeno: 164
Corteza temporal: 166
Cosmología fantástica: 187
Cottard, J.: 76
Creencias: 88, 161
— ilógicas: 161
— sistemas de: 108
Crisis confuso-onírica: 92
Cuerpo: 175
Dalí, S.: 142, 149
Degeneración: 87
Delasiauve, L.: 90
Delirios: 71
— alucinatorios: 100, 105, 113, 179
— análisis atomístico: 165
— análisis esturctural: 88-98
— antropología: 188
— carácter irreductible: 169
— celotípicos: 77
— claros y lúcidos: 79
— clasificación: 77, 84
— como racionalización: 172, 174, 188
— comprensión: 115, 162
— concepciones organo-dinámicas: 82-83
— concepciones patogénicas: 85
— concepciones psicogenetistas: 81, 162
— concepciones psicoanalíticas: 162
— constitución: 172
— contenido: 76
— cristalización: 119
— crónicos: 71, 73-86, 101, 103-104, 121, 124, 185-191
— — clasificación: 73, 124
— — delimitación clínica: 73
— — evolutivos: 104
— — progresivos: 103, 123
— de despersonalización: 80
— de grandeza: 76
— de imaginación: 79, 122, 124
— de influencia: 76
— de interpretación: 100, 103, 105, 111, 122, 124
— de interrogación: 99
— de los degenerados: 78, 104
— de negación: 76
— de persecución: 76, 103, 111-112
— de reivindicación: 105, 124
— desarrollo de los: 163
— esquizofrénicos: 125
— estado: 75, 85, 90, 164-165, 172
— evolución: 173
— evolución histórica: 74
— extensión: 116
— fantásticos: 187-188
— fenomenología: 169
— febriles: 75
— idea: 75

Delirios
— impenetrabilidad: 130
— lógica: 173-174
— modo interpretativo: 116
— oníricos: 90, 181-184
— oniroides: 100
— organización paralógica: 130
— parafrénicos: 120, 123, 125, 127-128, 131
— paranoicos: 78, 85, 103-104, 110-111, 113, 121, 124
— — construcción racional: 114
— — estructura temática: 112
— — leyes del desarrollo: 112
— — organización vertebrada: 114
— paranoides: 85, 103-104, 124-125
— pasionales: 103, 105
— post-oníricos: 101
— primarios: 165, 169
— proceso: 165, 188
— proyección: 81
— psicasténicos: 99
— relaciones con creencia: 74
— secundarios: 171
— sensitivos de relación: 99
— sentido existencial: 189
— sistematización: 119
— sistematizados: 84-85, 104-105, 25-126, 131, 186, 188
— tema persecutorio: 131
— temática: 162
— teorías biológicas: 164
— teorías cerebrales: 164
— teorías mecanicistas: 80
— teorías somáticas: 164
Delirium tremens: 75
Delirium: 75, 77, 85, 174
Delmas, A.: 100-101
Demencia: 78
— paranoide: 78, 104, 122-123
— precoz: 121-125
— — formas paranoides: 84
Deron, R.: 98
Desagregación: 84
Desarrollo
— biográfico: 110
— insidioso endógeno: 103
Desconfianza: 110
Desdoblamiento alucinatorio: 177-181
Deseo: 160, 184
Desequilibrio psíquico: 106
Desnos, R.: 148
Despersonalización: 76, 96, 175-176
Desplazamiento: 81
Desrealización: 175
Disgregación: 121, 128
Disociación esquizofrénica: 84, 165
Drogas: 164
Dromard, G.: 116
Dumas, G.: 83, 130
Dupré, E.: 93, 97
Ebriedad delirante: 164
Economo, von: 107
Ehrenwald, H.: 80
Eigenwelt: 187
Eluard, P.: 142
Emoción: 81
Ensueño: 82, 90, 175, 180-181, 184, 186-187
— delirante: 86
Eretismo emocional: 106
Ernst, M.: 136, 142
Error: 74, 161
— factores afectivos: 81
Escritura automática: 148
Espacio
— del pensamiento: 176
— estructura del: 175
— imaginario y afectivo: 178
— objetivo: 175
— psíquico: 175-176
— real: 176
— vivenciado: 175-180
Esquirol, J. E. D.: 74, 81

Esquizofrenia: 72, 104, 121-124, 126-127, 185-187
— formas paranoides: 84
— formas razonantes: 84
Estados
— ansiosos: 98, 107
— autísticos: 129
— confusionales: 94
— confuso-onírico-tóxicos: 93
— constitucionales: 81
— crepusculares: 87
— estuporosos: 88
— hipnagógicos: 186
— imaginativos agudos: 97
— interpretativos agudos: 93, 107
— maníaco-depresivos: 98, 126
— maníacos: 98
— obsesivos: 107
— oníricos: 127, 129
— oniroides: 87, 94-98, 127, 129
— presbiofrénicos: 129
Ewald: 81, 83
Experiencia
— delirante: 86, 96, 164
— — aguda: 101
— — primaria: 77, 106-107, 127
— sensible: 160
Extravagancia: 131
Fabulación: 75
— inconsistente: 98
— lujuriante: 130
— paramnésica: 123
Falret, J. P.: 72, 74, 76, 78, 115, 172
Falseamiento del juicio: 110
Fantasías: 161
Fenomenología: 72, 165
Foville: 76, 113
Freud, S.: 81-82, 93, 118, 183-184
Friedman: 99
Fuga de ideas: 98
Gaupp, R.: 99, 107
Genil-Perrin, G. P. H.: 112
Griesinger, W.: 78
Gruhle, H. W.: 77, 168
Guiraud, P.: 101, 185
Hábito alucinatorio: 109
Hachís: 163-164, 176
Hècaen, H.: 80
Hegel, F.: 98
Heinroth, J. C. A.: 81
Hiperestenia: 106
Hipocondría: 76, 112-113
Hoche, A.: 74
Hoffman, J.: 107
Huber, G.: 159, 169
Ideas
— de celos: 161
— de grandeza: 112-113, 161
— de influencia: 161
— de persecución: 161, 163
— delirantes: 74-75, 161-162, 170
— espiritistas: 161
— prevalentes:105, 109
— raras: 163
— sobrevaloradas: 75
Ilusiones: 75
Imaginación: 79, 161, 165-166, 181
Imaginería caleidoscópica: 182
Inadaptación social: 110
Incohercibilidad: 89
Incoherencia: 84
Incomprensibilidad: 168
Inconsciente: 81, 94, 128-129, 167
Inhibiciones sexuales: 106
Inmadurez afectiva: 106
Interpretación: 79, 165-166
Introversión: 127
Intuiciones: 75, 79
— inefables: 90
Jackson, J. H.: 68, 82, 178
Jacob, M.: 145
Janet, P.: 83, 164
Jaspers, K.: 72, 74, 77-78, 83, 85, 87, 104, 106, 164

Juego: 98
Kant, O.: 77, 83
Kehrer, F. A.: 81, 106-107
Kierkegaard, S.: 98
Kleist, K.: 80, 87
Klippel: 100
Kolle, K.: 107
Kraepelin, E.: 67, 72, 74, 78-79, 99, 103-105, 113, 121-125
Kretschmer, E.: 81, 83, 99, 107, 111
Lacan, J.: 81, 99, 106, 110
Lange, I.: 99, 109
Lasègue, Ch.: 72, 76, 78, 90
Legrain: 100
Legrand du Saulle: 76
Leiris, M.: 148
Leuret: 74, 81, 161
Lévy-Valensi: 130
Libido: 118
Lipemanía: 78
Locura razonante: 114-115
López Ibor, J. J.: 71
Lucrecio: 150
Magnan, V.: 72, 78, 87-88, 90
Mallarmé, S.: 150
Manerismo: 127
Manía: 98, 125, 127
Marañón, G.: 71
Masson, A.: 135
Matussek, P.: 169
Mayendorf, N. von: 80
Mayer-Gross, W.: 77, 82-83, 87, 93-94, 100, 180
Mayer: 93
Megalomanía: 76, 111-112, 123
Melancolía: 78, 126-127
Merleau-Ponty, M.: 175, 177
Mescalina: 164, 175
Meyer, A.: 81
Meyer, W.: 124
Meynert, Th.: 93-94
Mismidad: 187
Misticismo: 112-113
Mitologías: 161
Monomanía: 74, 79
Montassut: 110
Moreau de Tours, J.: 76-77, 82, 85, 163-164
Müller-Suur, H.: 169
Mundaneidad: 183, 186
Mundo
— autístico: 187
— imaginario: 180
— natural: 180
Narcisismo: 106
Negación: 76
Neurosis: 105
Objetividad: 175, 178
Obsesiones: 75
Onirismo: 75, 90, 92-93, 95, 100, 182, 184
Pantofobia. 91
Parafrenias: 79, 84, 105, 121-134, 186, 188
— análisis estructural: 126
— confabulantes: 123
— construcción delirante: 126
— estructura negativa: 126
— expansivas: 123
— fantásticas: 123
— formas paranoides: 84
— pensamiento: 128
— postprocesales: 126
— síntomas positivos: 126
— trastornos negativos: 127
Paranoia: 81, 103-105, 122-123, 125, 127, 131
— abortiva: 99
— aguda: 99-100
— atenuada: 99
— carácter: 117
— condicionamiento negativo: 106
— constitución: 106
— crítica: 149

Paranoia
— estructura: 106, 113, 117-118
— plan de organización: 106
— primitiva: 78
— psicógena: 99
— secundaria: 78
— simbolismo: 117
— sistemática: 122
Pasión: 161, 163
Pasividad: 129
Paulhan, J.: 143, 145, 148
Pavlov, I.: 80
Pensamiento
— arcaico y primitivo: 83
— automático: 150
— de los sueños: 130
— delirante: 85-86
— — relación con los sueños: 85
— disolución del: 83
— esquizofrénico: 130
— infantil: 83
— fantástico: 133
— mágico: 131, 179
— parafrénico: 130-131, 133
— paralógico: 130
— paranoico: 116, 120
— trastornos del ritmo del: 88
Percepción: 160-161, 174, 177
— interna: 177
— trastornos elementales: 166
Perplejidad: 92
Persecución: 112
Personalidad: 161
— degenerativa: 106
— desarrollo: 104
— paranoica: 110
— psicopática: 106
— psicosomática: 106
Petit, P.: 99-100
Picasso, P.: 135, 142
Pirandello, L.: 135
Polarizaciones afectivas: 110
Prinzhorn, H.: 139
Producción
— estética: 141
— — automática: 141
— — de la psicosis: 141, 146
— — reflexiva: 141
— — surrealista: 145-146
— paralógica: 132
Proust, M.: 150
Proyección: 171
— afectiva: 183
— delirante: 96
Psicoanálisis: 82
Psicogénesis: 105
— estructura positiva: 106
Psicosis:
— agudas: 87-101, 186
— alucinatorias crónicas: 79, 104, 122, 124
— constitucionales: 111
— crónicas: 101
— imaginativas agudas: 93
— maníaco-depresivas: 125
— paranoicas: 103-4, 111
— — caracteres esenciales positivos: 109
— — organización y progresión: 115
— post-oníricas: 101
— reactivas: 100
— relaciones con la personalidad: 110
Psicoterapia: 187
Psiquiatría alemana: 122-123
Psiquiatría francesa: 72, 84, 97, 124, 185
Pulsiones
— afectivas: 183
— auto o heteroagresivas: 184
— instintivas: 184
Radestock: 93
Ramos: 130
Real: 179
— funciones de lo: 164

Realidad: 162, 187
— construcción de la: 159-160
— desintegración de la: 160
Régis, E.: 74, 90, 93
Regresión: 79, 82, 89, 169
Representación: 176-177, 181
Rigidez psíquica: 110
Ritti, A.: 80
Rouart, J.: 98
Roussel, A.: 148
Sancte de Sanctis: 93
Sartre, J. P.: 97, 129, 142, 186
Schilder, P.: 77, 130
Schmidt, G.: 159
Schneider, C.: 77, 83
Schneider, K.: 77, 168, 186
Séglas, J.: 76, 80, 166
Sell, J.: 139
Sensorialidad alucinatoria: 180
Sentimientos
— de artificio: 95
— de influencia: 95
— de pasividad: 95
— de penetración: 95
— fundamentales: 90
Síndromes oniroides: 96
Sérieux, P.: 84, 93, 105, 111-112, 115, 118
Shakespeare, W.: 145, 150
Simbolismo: 168, 184
Simon, M.: 135
Sistema delirante duradero: 103
Sistematización: 105
Situación vital: 81
Spaltung: 83-84
Stahl, G. E.: 82
Storch, A.: 83, 130, 133
Subjetividad: 175, 178
Sueño: 92, 95, 186
Supersticiones: 161
Suprarrealidad: 132
Susceptibilidad: 106
Tamburini, A.: 80
Tanzi, E.: 130
Tendencias instintivas: 106
Tiempo: 85
Timidez: 106
Tono afectivo, desviaciones patológicas: 106
Tosquelles, F.: 98
Transformaciones corporales: 96
Válery; P.: 143
Valores
— de la existencia: 173
— de realidad: 89
— invertidos: 187
— lógicos: 188
— objetivos y sujetivos: 77
— sistema de: 160
Van Bogaert, L.: 80
Vermeer, J.: 143
Vivencias: 164
— delirantes primarias: 88-90
Wahn: 174
— *primäre:* 174
Wernicke, C.: 80, 166, 168
Westerterp: 83
Westphal, C.: 99
Wyrsch, J.: 187
Yo: 178
— alteración imaginaria del: 95
— confusión con el mundo: 95
— desdoblamiento: 96
— dislocación: 96
— dispersión: 96
— extrañeza: 96
— hipertrofia: 110-111
— ideal de: 161
— relaciones con el mundo: 77, 175
Ziehen, Th.: 74, 93